RUDOLF WALTER LEONHARDT DEUTSCHLAND

RUDOLF WALTER LEONHARDT DEUTSCHLAND

RUDOLF WALTER LEONHARDT

Deutschland

BUCHER

DAS KURFÜRSTLICHE SCHLOSS ÜBER HEIDELBERG AM NECKAR – Während des letzten Krieges blieb Heidelberg unzerstört. Die Taktiker sagen: weil es von der US-Armee als Hauptquartier vorherbestimmt war – was es dann tatsächlich wurde. Die Romantiker sagen: weil deutschfreundliche Amerikaner es nicht ertragen hätten, die Heimat des «Student Prince» annihiliert zu sehen – vielleicht hätten sie es nicht ertragen. Da haben wir nun also ein Symbol für das unzerstörte und möglicherweise für das unzerstörbare Deutschland. Aber der «Student Prince» hat dort ausgesungen. Und die amerikanische Armee kann seit langem ohne diesen Stützpunkt auskommen. Ist Heidelberg dennoch unzerstört und unzerstörbar geblieben? Und wenn es das geblieben wäre – der Ottheinrichs-Bau beherrscht ja wie eh und je eine Stadt, in der «Herrschaft» zum Schimpfwort geworden ist: Was sagte das für die beiden Staaten, die heute das ausmachen, was man einmal «Deutschland» nannte? Viele Fragen. Schöne Bilder. Aber auch schöne Bilder können Antworten geben. Versuchsweise. Erste Antwort: So wie aus Alt-Heidelberg Neu-Heidelberg wurde, so wurde aus Alt-Deutschland – ja, was eigentlich?

3. revidierte Auflage 1981
© *1972 by Verlag C. J. Bucher GmbH*
München und Luzern
Alle Rechte vorbehalten
Redaktion: Horst Braunschweiger
Graphische Gestaltung: Hans Peter Renner
Bilddokumentation: Monika A. Otto
Printed in Germany
ISBN 3 7658 0361 8

Das schöne Deutschland

Ein Bildband, der vor allem die Schönheit Deutschlands zeigt, muß auf Skepsis stoßen. Was heißt schon Schönheit? Und muß ein solches Bilderbuch nicht selbst dann, wenn geklärt werden könnte, was schön sei, eine Verfälschung bedeuten?

Was schön ist, läßt sich nicht definieren, auch Hegels Ästhetik hilft da nicht weiter. Und dennoch sehe ich keine Verfälschung. Was in Deutschland als schön empfunden wird, läßt sich beschreiben: Schönheiten der Natur und Schönheiten der Kultur.

Die natürliche Schönheit Deutschlands steht in einem eigenartigen Widerspruch zu Geschichte und vermeintlichem Nationalcharakter. Was immer den Deutschen im Laufe der Jahrhunderte nachgesagt worden ist: selten werden wir sie «lieblich» oder «anmutig» genannt finden, oder «gemäßigt» oder «bescheiden» oder «harmonisch».

All das jedoch wären Attribute typischer deutscher Naturschönheiten. Da gibt es keine imposanten Grand Canyons und keine himmelstürmenden Himalayas; das Meer schlägt nur verhalten an die deutschen Küsten; die Stürme sind nicht wild, die Sommer nicht brennend, die Winter nicht frostklirrend.

Die charakteristischen deutschen Landschaftsschönheiten, lieblich und harmonisch, finden wir in den durch ihren Waldreichtum sanften Mittelgebirgen, im Harz und im Schwarzwald also, in den freundlichen Flußtälern, sei es der Mosel, sei es des Neckars, und an scheinbar verträumten Seen, in Oberbayern wie in Schleswig-Holstein.

In der Kulturlandschaft gilt als unbestritten schön vor allem, was alt ist. Das hat gute Gründe und sonderbare Folgen.

Wer sich des eigenen Stils nicht recht sicher ist, der neigt wohl dazu, und das mit Recht, dem von vielen Generationen Geprüften Meriten zuzusprechen, die es an sich gar nicht hat (was den Bilderstürmern aus Leidenschaft gute Möglichkeiten einräumt, sich zu betätigen). War je eine Zeit sich ihres Stils so wenig sicher wie die unsere?

Es erfüllt den Menschen auch offenbar mit frommem Schauder, sich vorzustellen: Dieses Haus, dieses Tor stand schon, als an mich noch nicht zu denken war; es wird wahrscheinlich noch stehen, wenn meiner niemand mehr gedenkt. Der Drang nach weiterreichender Kontinuität, als sie dem einzelnen vergönnt ist, gewinnt Form in alten Bauwerken – und deswegen bewundern wir sie so.

Was wir heute in Deutschland als schöne Bauten preisen und photographieren, entstand aus dem Wunsch oder der Notwendigkeit unserer Vorfahren – und zwar, das muß eingeräumt werden, der herrschenden unter ihnen –, sich ihrer Identität bewußt zu werden, zu repräsentieren, sich zu wehren, über sich hinaus zu wachsen, Kunst zu schaffen und zu sammeln: Patrizierhäuser und Schlösser, Burgen und Stadtmauern, Kirchen und Kathedralen, Theater und Museen.

Seltsam fremd stehen wir in dieser Kulturlandschaft, die den meisten von uns existentiell scheinbar wenig bedeutet: Feiertagsillusion oder Touristenattraktion. Der Schein trügt. Im Grunde, im kollektiven Unterbewußtsein bedeutet uns diese Kulturlandschaft zusammen mit den Naturschönheiten das, was wir eigentlich meinen, wenn wir «Deutschland» denken.

Viel umstrittener und umstreitbarer ist alles, was das zwanzigste Jahrhundert diesem Deutschlandbild im wortwörtlichen, im optischen Sinne hinzugefügt hat: Autobahnkreuze und Flughäfen, Werften und Werkstätten. Sind sie schön? Bei einigen von ihnen können wir die Frage bejahen, weil wir die funktionale Schönheit bejahen als eine Harmonie der Mittel mit den Zwecken.

Die Industrielandschaft hat – jenseits aller Schönheit oder Häßlichkeit, Nützlichkeit oder Verwerflichkeit – etwas, was dagegen spricht, ihr in einem solchen Bande allzu ausführlich zu huldigen. Selbst derjenige, der das moderne Deutschland, der die beiden Staaten zeigen möchte, die, jeder in seiner Hälfte, zu den führenden Industrienationen der Blöcke gehören, die die Welt bedeuten – selbst er wird mit Industriebildern sparsam umgehen: denn ein Flughafen sieht in San Francisco nicht sehr viel anders aus als in Frankfurt, und eine Autofabrik in Stuttgart kann nur der Branchenfachmann noch unterscheiden von einer Autofabrik in Mailand oder in Detroit.

Industrielandschaften und Luxushotels sind einander, überall auf der Erde, zum Verwechseln ähnlich, da sie ähnliche Funktionen zu erfüllen haben. Politische Ideologien, soziale Spannungen, nationale Aktualitäten lassen sich heute schwerlich in ein Bild bringen, das nicht nächstes Jahr schon historisch wäre und korrigiert werden müßte. Was immer «Deutschland» mir oder einem anderen Deutschen oder einem Ausländer bedeuten mag: es bedeutet kaum etwas, das sich von Jahr zu Jahr ändert.

Vielmehr setzt sich unser Deutschlandbild zusammen aus einer mehr oder minder vagen Geschichte deutschen Geistes, die sich der bildlichen Darstellung entzieht, und aus sensorischen Wahrnehmungen, die weitgehend denen entsprechen, die auf den folgenden Seiten reproduziert worden sind und dadurch nachvollzogen werden können.

Es fehlen in diesem Bilde viele Schatten. Sie einzuzeichnen sollte der Phantasie des Betrachters überlassen bleiben.

Deutschland auf der Suche nach sich selber

Deutschland ist eine schöne Fiktion. Immer wenn man anfing, diese Fiktion realpolitisch ernst zu nehmen, hörte sie auf, schön zu sein. Nachdem das Heilige Römische Reich Deutscher Nation in Nationalstaaten auseinandergebrochen war, hat es ein «Deutschland», bei dem der Name, wie bei anderen Ländern, gleichzeitig einen territorial umgrenzbaren Begriff gedeckt hätte, nie länger als siebenundvierzig Jahre gegeben – von 1871 bis 1918.

Die Bundesrepublik Deutschland (West) und die Deutsche Demokratische Republik (Ost) werden noch in diesem Jahrhundert älter werden als jenes älteste «Deutschland», das es je gegeben hat, als das Bismarck-Reich.

Es wird dann kaum mehr möglich sein, von den «beiden Teilen Deutschlands» zu sprechen. Wieso gerade diese «beiden», die sich bis dahin gewiß deutlicher voneinander unterscheiden als etwa die Deutsche Demokratische Republik und Polen oder Österreich

DIE INSEL HELGOLAND – Man könnte Deutschland im Süden beginnen lassen, und das hätte sehr viel für sich. Läßt man es, welcher Gewohnheit auch immer folgend, im Norden beginnen – so wie wir das hier, einem eher schematischen Ordnungsprinzip folgend, tun wollen –, dann bietet die Insel Helgoland sich an: dort hat Deutschland noch gar nicht so richtig angefangen, wir sind noch «außen vor». Eine Felseninsel, wo man Hummer fängt: das ist ganz untypisch für die Deutsche Bucht. Weswegen eine friesische Sage auch meint, die Insel sei vom Teufel aus Norwegen geholt worden; was freilich sonderbar wäre, denn schließlich heißt Helgoland «heiliges Land».

Alle seefahrenden Nationen des Nordens stürzten sich auf Helgoland: die Dänen, die Hansestädte und vor allem die Engländer. Als Hoffmann von Fallersleben dort das Deutschlandlied schrieb, war Helgoland englische Kronkolonie. 1890 wurde es gegen Sansibar eingetauscht, blieb jedoch Zoll-Ausland – was dem Fremdenverkehr hilft, von dem die Insel lebt. Nach dem Kriege war die Vernichtung Helgolands noch viel gründlicher geplant als die Vernichtung Deutschlands: die Engländer wollten es am 18. April 1947 buchstäblich in die Luft sprengen. Die Felseninsel wurde noch einmal wieder ein bißchen kleiner – aber sie blieb erhalten.

und die Bundesrepublik oder auch Baden und Elsaß-Lothringen? Wer wird darauf bestehen können, Kaliningrad-Königsberg eine «deutsche Stadt» zu nennen, aber nicht Wien?

Es gibt, politisch gesehen, auf einer Landkarte festlegbar, «Deutschland» als Staat nicht. Aber es gibt offenbar Deutschland: als einen Begriff, der um so unbefangener bestehen kann, je entschlossener man davon absieht, ihn zu definieren. Gerade dann gewinnt dieses Land, paradoxerweise, Konturen – Konturen freilich, die sich für jemanden, der in Tokio lebt oder in Boston, viel deutlicher abzeichnen als für einen Leipziger oder einen Hamburger.

Meine Hamburger Kinder wissen nichts, buchstäblich nichts von Leipzig. Meine Leipziger Verwandten sind ein bißchen älter: aber auch sie wissen so gut wie nichts von Hamburg heute. Nur für meine französischen Cousinen und meine englischen Vettern: für sie sind Leipzig und Hamburg schon beinahe noch Städte des gleichen Landes, das sie «Allemagne» oder «Germany» nennen, und wenn sie's ganz genau nehmen wollen, dann flicken sie, ziemlich mühsam, ein «est» oder «west» an.

Was wir noch immer «Deutschland» nennen können und wollen, ist das Produkt von zweitausend Jahren Geschichte. Und diese Geschichte fängt, da allem ja einmal ein Anfang gesetzt werden muß, in der Tat an mit jenen Germanenstämmen, die in den ersten nachchristlichen Jahrhunderten die römischen Armeen bezwangen und von der römischen Zivilisation bezwungen wurden. Die ersten «Denkmäler» der Deutschen, die auch heute

AUF DER OSTFRIESISCHEN INSEL LANGEOOG – Dünen auf einer friesischen Insel: sie wecken die Sehnsucht des zivilisationsmüden Großstädters nach unberührter Natur. Aber so unberührt bleibt nicht viel in einem kleinen Land, dessen Bewohner bereit und fähig sind, für «Natur» zu zahlen. Die friesischen Inseln vor der deutschen Nordseeküste – Borkum, Juist, Norderney, Baltrum, Langeoog, Spiekeroog, Wangeroog, die Halligen, Amrum, Föhr, Sylt – sie werden gehandelt und, je beliebter sie sind, desto mehr verschandelt durch Asphalt und Beton. Die Inseln sind arm, dort weiß man, was Geld wert ist: das Geld der Bauherren und Immobilienhändler aus Bremen und Hamburg und Stuttgart. Es fließt am reichlichsten nach der deutschen Superferieninsel Sylt, der nördlichsten dieser friesischen Inseln. Mitten in den Dünen entstand dort, nach dem Willen von ein paar kundigen Spekulanten, ein ganzes neues Dorf, «Sonnenland» geheißen. Die Orte Westerland, Tinnum, Keitum und Wenningstedt drohen zusammenzuwachsen zu einem Halbzeit-Manhattan der Nordsee: im Sommer hektisch, im Winter tot. Die Großstädter aus Hamburg und Hannover und Berlin, die sich so sehr gesehnt haben nach dem Frieden der Dünen und die so viel dafür bezahlt haben: sie betrachten mit Wehmut den Dünenfrieden auf Photos – in der Wirklichkeit gibt es so etwas immer weniger.

DER MARKTPLATZ VON BREMEN MIT DOM UND RATHAUS – Als nach dem Kriege in Hamburg *Die Zeit* gegründet wurde, eine Zeitung, die von Anfang an ihren überregionalen, auch übernationalen Charakter betonen wollte, entlieh sie für ihren Kopf das Stadtwappen der Bremer: der Schlüssel in diesem Wappen will Aufgeschlossenheit bedeuten, Weltoffenheit. Großzügigkeit in des Wortes eigentlicher Bedeutung, die nichts mit Leichtfertigkeit zu tun hat, aber auch nichts mit Duldsamkeit, wird man erwarten dürfen von einer Stadt, die als Mitglied des mächtigen Kaufmannsbundes der Hanse schon im Mittelalter gesamteuropäische und seit dem 18. Jahrhundert weltweite Beziehungen unterhielt. Alles in Bremen ist großzügig: die Weserauen mit dem Stadion; der Bürgerpark mit dem Parkhotel; der Ratskeller, der sich rühmt, mit deutschen Spitzenweinen besser versorgt zu sein als irgendein anderer deutscher Weinkeller; der Markt mit dem mächtigen St.-Petri-Dom aus dem 11. Jahrhundert und dem prächtigen Rathaus, Anfang des 15. Jahrhunderts erbaut, zweihundert Jahre später durch den Baumeister Lüder von Bentheim mit einer neuen Fassade ausgestattet, die gerne als kostbares Beispiel zitiert wird für die Kunst der «Weser-Renaissance». Große Marktplätze, an denen jahrhundertelang mit viel Aufwand gearbeitet worden ist, verraten Bürgerstolz. Und wahrscheinlich ist es diese nicht ganz leicht sich ergebende Verbindung zwischen Weltläufigkeit und Lokalpatriotismus, die Bremen seinen eigenen Rang gibt: es war nicht die erste Hansestadt und nie die bedeutendste; aber es ist die einzige heute noch bestehende. Lübeck ist, sehr zum Kummer der Betroffenen, in das Bundesland Schleswig-Holstein eingemeindet worden. Hamburg nennt sich zwar noch Hansestadt, aber es ist eine Weltstadt geworden.

noch besichtigt werden können, stammen aus jener Zeit – die Externsteine im Teutoburger Wald wie die Porta Nigra in Trier.

Seitdem stiftet nur Verwirrung, wer nationalstaatliche Positionen beziehen wollte zwischen einer relativ stabilen Westgrenze, die nie weiter schwankte als zwischen Verdun und Trier, und einer höchst labilen Ostgrenze, die ein deutsches Reich von einem slawischen immer wieder nur provisorisch trennen konnte. So gesehen, erscheint die durch Stacheldraht und Minenfelder gesicherte Staatsgrenze der DDR als ein verzweifelter Versuch, Stabilität auf längere Zeit zu garantieren.

Im Norden und im Süden lassen sich die Grenzen dessen, was «Deutschland» ist, heute scheinbar ohne nennenswerte Schwierigkeiten festlegen. Schwierig wird es erst, wenn einer sich näher beschäftigt mit der Geschichte des nördlichsten und des südlichsten deutschen Landes: Schleswig-Holsteins und Tirols. Da die skandinavischen Nachbarn friedlich sind, haben wir heute die Brisanz der «schleswig-holsteinischen Frage» ganz vergessen, nur Historiker wissen noch davon. Und das «Problem Tirol» ist jetzt, soweit es noch existiert, kein deutsches Problem mehr, sondern ein österreichisches. Seine politische Lösung wurde Modell: Man trenne Nord von Süd – so wurde es zuerst in Tirol, später in Korea und Vietnam praktiziert.

«Von der Maas bis an die Memel» also, «von der Etsch bis an den Belt» – so hatte Professor Hoffmann aus Fallersleben im Braunschweigischen 1841 Deutschland einzugrenzen versucht in einem Lied, das zum Kummer des Erdichters kein Mensch singen wollte. Zwar hatte er es anspruchsvoll das «Lied der Deutschen» genannt, aber die Deutschen sangen lieber, vom gleichen Dichter, «Alle Vöglein sind schon da» oder «Kuckuck, Kuckuck ruft's aus dem Wald». Und 1871 resümierte der Dichter des Deutschlandliedes resigniert:

«Und ich sang von Deutschland wieder, / sang in Freud' und Hoffnung nur, /

doch mein ‹Deutschland über alles› / kam – und ward Makulatur.»

Der alte Herr verkehrte zu wenig bei jungen Leuten, bei Turnern und Studenten, die gerade mit seinem Deutschlandlied – das ja gegen die deutsche Kleinstaaterei und nicht für deutsche Expansionsgelüste geschrieben war – die deutsche Einigung im Bismarck-Reich

HAMBURG: BLICK ÜBER ELBE UND HAFEN AUF
ALSTER UND INNENSTADT – LOMBARDSBRÜCKE UND BIN-
NENALSTER – DIE GROSSE FREIHEIT – Deutsche Groß-
städte, von denen es bald hundert geben wird, sind, im
Weltmaßstab gemessen, nicht so sehr groß. Weltstädte
gibt es, von Berlin hier einmal abgesehen, nur zwei:
Hamburg und München. Bei etwas großzügiger Geo-
metrie könnte man die deutsche Bundesrepublik als eine
Ellipse sehen, in deren Brennpunkten Hamburg und
München liegen. Gewiß, einige andere Punkte, an denen
es zuweilen auch brennt, blieben dabei unberücksichtigt,
Essen etwa und Dortmund, Düsseldorf und Köln,
Frankfurt und Stuttgart. Aber das Spannungsfeld, in
dem und von dem diese westdeutsche Republik lebt,
baut sich auf zwischen München und Hamburg. Dabei

sprach zunächst alles gegen Hamburg. Anders als München lag es weder an einer wichtigen Straße – die alte
«Salzstraße» führte an Hamburg vorbei – noch gar an
einer Furt durch den Fluß. Lüneburg und Lübeck sehen
das ganze Mittelalter hindurch viel eher danach aus, als
könnten sie sich zu den Metropolen des Nordens entwickeln. Für seinen Hafen lag Hamburg reichlich weit
landeinwärts, wenn auch nicht weit genug, um von Ebbe
und Flut verschont zu bleiben. Ganz abgesehen davon,
daß die Elbe – anders als Donau und Rhein – kein von
alters her berühmter Schiffsweg war. «Im Gebiet der
Hermunduren», schrieb Tacitus im zweiten nachchristlichen Jahrhundert, «entspringt die Elbe, ehemals ein
berühmter und vielgenannter Strom, jetzt kennt man
ihn nur noch vom Hörensagen.» Auch unter den Hanse-

städten, denen es sich anschloß, hat Hamburg sich nicht besonders hervorgetan. Seinen entscheidenden Vorsprung vor Rivalen gewann Hamburg vor allem dadurch, daß die herrschenden Kaufleute und Bürger im 16. Jahrhundert, als Europa von Glaubenskämpfen zerrissen wurde, außergewöhnlich viel Toleranz und Umsicht bewiesen, wodurch die Stadt dann auch im städtevernichtenden Dreißigjährigen Krieg glimpflich davonkam. Toleranz und Umsicht haben diese Stadt groß gemacht, in der Holländer, Engländer, Skandinavier, Juden, Spanier und Südamerikaner sich niederlassen und Einfluß gewinnen konnten. Ihre Größe drückt sich nicht aus in altehrenwerten Bauten. Alles wurde gern wieder niedergerissen, nachdem es seinen Zweck erfüllt hatte; oder es brannte ab. Selbst Kirchen und Rathaus, sonst die prunkvollen Zeugen traditionsbewußten Bürgertums, machen in Hamburg nicht viel her. Aber der Hafen hat sich bewährt, sowenig glücklich er zwischen Rotterdam auf der einen und Rostock auf der anderen Seite liegt. Das Geschäftsviertel um die Binnenalster, mit Jungfernstieg und «Hotel Vier Jahreszeiten», findet an vornehmer Gediegenheit in Deutschland schwerlich seinesgleichen. Nicht ganz so gediegen sind die Amüsierviertel von St. Georg und St. Pauli mit berühmt-berüchtigten Straßen wie der Reeperbahn und der Großen Freiheit. Die leichten Mädchen und die schweren Jungens haben freilich nichts Romantisches mehr. Dort am Hafen wird nackte Haut sehr hart und nüchtern zu Markte getragen, Neugierige seien gewarnt.

forderten und feierten. Ihre Söhne fielen dann in den Feuergefechten des Ersten Weltkriegs «mit dem Deutschlandlied auf den Lippen». Der sozialdemokratische Reichspräsident Ebert ernannte das Hoffmann-Lied mit der Haydn-Melodie am 11. August 1922 zur Nationalhymne der ersten deutschen Republik.

Viel schwerer wurde es, dreißig Jahre später, dem ersten Präsidenten der Bundesrepublik Deutschland, Theodor Heuss, die Frage nach der deutschen Nationalhymne zu entscheiden – irgend etwas muß ja offenbar gespielt werden bei Feiern und Staatsempfängen. In einem seither umstrittenen Briefwechsel mit Bundeskanzler Adenauer erklärte sich Heuss 1952 bereit, dem Antrag der Bundesregierung zu folgen und «das Hoffmann-Haydnsche Lied als Nationalhymne anzuerkennen. Bei staatlichen Veranstaltungen soll die dritte Strophe gesungen werden.»

Seitdem streiten sich die Gelehrten, ob nun das Deutschlandlied Nationalhymne geblieben oder als solche nur nach Abzug seiner ersten beiden Strophen zu verstehen ist.

Dabei ist gegen die zweite Strophe, die von deutschen Frauen und deutscher Treue, deutschem Wein und deutschem Sang schwärmt, wirklich wenig einzuwenden.

Gegen die erste Strophe sprach (und spricht noch immer) dreierlei: Erstens war sie in Hitlers Deutschland als·so eine Art Präludium zur Nazi-Hymne, dem Horst-Wessel-Lied,

Altstadt von Lübeck – «Wenn man [meinen Stil] als kühl, unpathetisch, verhalten charakterisiert hat», sagte Thomas Mann anläßlich der Siebenhundertjahrfeier Lübecks im Jahre 1926, «wenn man lobend oder tadelnd geurteilt hat, ihm fehle die große Geste, die Leidenschaft, und er sei, im Großen, Ganzen wie in der Einzelheit, das Instrument eines eher langsamen, spöttischen und gewissenhaften als genialisch stürmenden Geistes – nun, so mache ich mir kein Hehl daraus, daß es niederdeutschhanseatische [...] Sprachlandschaft ist, die man so kennzeichnet.» In den *Buddenbrooks* hat Thomas Mann den Niedergang einer Familie beschrieben, in dem sich der Niedergang der ältesten und hundert Jahre lang mächtigsten Hansestadt spiegelt. Man

hat ihm das inzwischen auch in Lübeck verziehen. Und der Niedergang Lübecks als einer Handelsmetropole des Nordens war ja nicht mehr zu leugnen, längst nicht mehr aufzuhalten, als wenige Kilometer östlich der Stadt die Grenze gezogen wurde, die die beiden deutschen Staaten voneinander trennt. Geblieben ist die Pracht der Marienkirche und des Doms, des Rathauses, das Anspruch erhebt, zu den schönsten in Deutschland zu gehören, und des vor allem in Marzipan so eindrucksvollen Holstentors. Geblieben sind auch die engen Gassen, die «Gänge», wo die Armen hausten, um die sich die Stadt dennoch vorbildlich kümmerte. Geblieben ist ein leicht inzestuöser Hanseatengeist, der sich distanziert von den Emporkömmlingen in der blühenden Landeshauptstadt Kiel.

gesungen worden. Zweitens enthielt sie die chauvinistische Formel «Deutschland, Deutschland über alles». Und drittens nahm sie die Fiktion «Deutschland» ernst und definierte sie innerhalb realpolitischer Grenzen.

Die Suche der Deutschen nach einer nationalen Identität war niemals leicht. Durch die zwölf Jahre des Hitler-Reiches und ihre Folgen, darunter auch die Teilung Deutschlands, ist sie für zwei Generationen unmöglich geworden: für die eine, die sich von ihrem schlechten Gewissen distanzieren mußte, und für die nächste, die sich von den Vätern distanzierte.

Wäre dies nicht so, könnte man gelassener darauf hinweisen, daß Nationalhymnen ohne einen Schuß Chauvinismus nicht auszukommen scheinen, die französische so wenig wie die englische. Richtig ist zweifellos auch, daß der Professor aus dem Braunschweigischen ein liberal-demokratischer Mann war, dem großdeutscher Chauvinismus fern lag, daß sein «über alles» auf das Großherzogtum Mecklenburg-Schwerin zielte und auf das Königreich Hannover, auf das Herzogtum Anhalt und auf das Großherzogtum Baden – nicht auf England oder Frankreich.

Auch seine Grenzziehung deutet nicht auf Welteroberungspläne. Gewiß war sie weniger bescheiden als die seines Vorbildes. Der Minnesänger Walther von der Vogelweide schon hatte ja Deutschland gepriesen «von der Elbe bis zum Rhein und bis hin zum Ungarland». Aber das lag auch mehr als sechshundert Jahre zurück, das war in vorpreußischen Zeiten.

Als Hoffmann von Fallersleben schrieb, war Limburg, wo die Maas fließt, gerade dem Deutschen Bund beigetreten; die Memel bildete die Grenze zwischen Ostpreußen und

LÜNEBURGER HEIDE – Besungen viel und dann im Kurs gesunken: die Lüneburger Heide. Ihr Dichter Hermann Löns (1866–1914) liegt bei Fallingbostel begraben. Heide gibt es da nicht mehr viel; beinahe so wenig wie in der noch immer bezaubernden alten Salz-Stadt Lüneburg, die der Heide ihren Namen gab. Industrien, Landwirtschaft, Forstwirtschaft, Truppenübungsplätze haben sich breitgemacht, wo einst die Heidschnucken sprangen. Dem rührigen Hamburger Getreide-Millionär Töpfer ist es zu danken, wenn um den Wilseder Berg herum noch ein paar Hektar Heide als Naturschutzgebiet konserviert werden konnte. Sie locken – vor allem wenn im August und September die Heide blüht – halb Hamburg in diesen Riesengarten vor den Toren der Großstadt.

Litauen; Südtirol, dessen größter Fluß die Etsch ist, gehörte zu Österreich, also bis 1866 zum Deutschen Bund; und der Belt war die nördliche Seegrenze des umstrittenen Herzogtums Schleswig.

Nicht wie darin die Grenzen gezogen werden, macht das Deutschlandlied anstößig; sondern daß sie überhaupt gezogen wurden, erwies sich als voreilig: inzwischen ist ja alles, was in Moskau oder in Washington noch immer «Deutschland» genannt werden könnte, sehr viel kleiner geworden.

Deutsche bemühen sich, die Schwierigkeiten mit ihrer nationalen Identität zu umgehen, indem sie, korrekt und präzise, nicht von «Deutschland» sprechen, sondern von der DDR und der Bundesrepublik. Aber solche Vorsicht weist keinen Ausweg aus dem Dilemma. Denn wenn «Deutschland» nicht identifizierbar ist – was bedeutet dann das Subjekt des Satzes, was bedeutet «Deutsche»? Und was bedeutet «die deutsche Landschaft» etwa oder «die deutsche Kunst»? Ja sind «deutsche Geschichte» und «deutsche Sprache» noch feststehende Begriffe?

Sind denn das «spätkapitalistische» Deutschland der Bundesrepublik und das «sozialistische» Deutschland der DDR nicht Antithesen, die Sinn und Bedeutung all dessen, was man «deutsch» nennt, mitten auseinanderreißen?

Wenn ich, ein Bürger der Bundesrepublik Deutschland, in die DDR fahre, in die kleine Stadt, in der ich vor vierzig Jahren zur Schule gegangen bin, dann fahre ich in eine andere Welt. Ich muß mir ein Visum besorgen, als ob ich den Atlantik überqueren wollte –

BEI WORPSWEDE – Worpswede, typisch nordwestdeutsches Flachland zwischen Weser und Elbe, wo Flüsse, Bäche und Moore ineinander übergehen, die Nähe des Meeres immer spürbar ist und der Gesichtskreis nirgendwo durch Erhebungen des Bodens eingeengt wird, liegt in Niedersachsen, aber gehört eigentlich zum 25 Kilometer entfernten Bremen. Von alters her haben die Bremer ländliche Umgebung einbezogen in ihren Lebensraum. Nach Worpswede und anderswohin fuhr man im Winter auf Schlittschuhen, die in Bremen «Holländer» heißen. Weltberühmt wurde Worpswede schließlich als Künstlerkolonie, Ende des vergangenen Jahrhunderts gegründet durch den Galeriedirektor Gustav Pauli. Der Ruhm des Dichters Rainer Maria Rilke lenkte die öffentliche Aufmerksamkeit mit einiger Verspätung auf das Werk der neben Käthe Kollwitz (1867–1945) bedeutendsten deutschen Malerin: Paula Modersohn-Becker, geboren in Dresden 1876, gestorben in Worpswede 1907.

Hinter dem Neuen Rathaus eine moderne Stadt: Hannover – Das Alte Rathaus von Hannover ist so alt nicht, wie der Name sagt und wie es wirken könnte vor dem Hintergrund einer modernen Stadt: der modernsten deutschen Stadt in dieser Größenordnung (über 500000 Einwohner). Die Ehrfurcht, immerhin, die auch ein Rudolf Hillebrecht ihm erwies, indem er es stehen ließ, hat etwas Rührendes. Denn von dem spätgotischen Kern, den es seit dem 15. Jahrhundert haben soll, ist so gut wie nichts mehr zu sehen. Alle formbestimmenden Anbauten und Umbauten stammen aus den letzten Dekaden des 19. Jahrhunderts, der sogenannten Gründerzeit. Was immer man damals baute, es sah aus wie ein Bahnhof – und oft war es auch einer. Rathaus oder Bahnhof: in Hamburg-Altona, zum Beispiel, erwiesen sie sich als austauschbar. Hillebrecht war der bedeutendste deutsche Städteplaner nach dem Krieg, der zum Zuge kam. Eine vernünftigen Argumenten zugängliche Verwaltung ermöglichte es ihrem Stadtbaurat, der *tabula rasa,* die der Bombenkrieg wie in so vielen deutschen Städten auch in Hannover geschaffen hatte, ihre Vorzüge abzugewinnen: zwei beinahe konzentrische Ringe von Autostraßen umkreisen die Stadt; breite, vier- bis sechsspurige Einfallstraßen führen ins Innere, verknäueln sich an Verteilerringen, entknäueln sich wieder und werden zu Ausfallstraßen. Für ortsfremde Autofahrer in deutschen Großstädten sind Hannover und Hamburg das Paradies, Köln und München ein Fegefeuer, Düsseldorf und Frankfurt die Hölle. Freilich lohnte sich der Aufwand nur, weil es eine alte Tradition gab, an die Hannover anknüpfen konnte. Zeiller-Merian wissen schon im 17. Jahrhundert, im Begleittext zu Matthaeus Merians Kupferstichen, zu berichten: «Es werden jährlich vier stattliche Jahrmärkte daselbst gehalten, auf welche viele Fremde, nicht allein aus Deutsch-, sondern auch andern Landen, sich häufig anfinden.» Hannover ist *die* deutsche Messestadt. Was sie ihrem Stadtbaumeister verdankt, wird deutlich, wenn man sich das vergegenwärtigt; ihre stärkste Konkurrentin ist – von Leipzig abgesehen – Frankfurt.

ALTSTADTMARKT MIT MARIENBRUNNEN, MARTINIKIRCHE UND ALTSTADT-RATHAUS IN BRAUNSCHWEIG – Was deutsche Provinz ist, kann man in Braunschweig studieren. Im Stadtbild registriert der Ortsunkundige, auch der junge Braunschweiger, eine nicht immer gelungene Mischung zwischen alt und neu, in der der Altstadtmarkt mit der Martinikirche (von 1180), dem dreistöckigen Brunnen aus Blei (1408) und dem übereck gebauten gotischen Rathaus (1302) ebenso als Museumsstücke wirken wie im Osten der Stadt Burg Dankwarderode mit dem Denkmal des Löwen, Heinrichs des Löwen. Leichter einzuordnen war das alles, als die Altstadt von Braunschweig noch stand. In einer einzigen Nacht, der vom 14. zum 15. Oktober 1944, fiel sie in Trümmer. Bis dahin war Braunschweig immerhin eine der schönsten mittelalterlichen Städte in Deutschland gewesen, mit Lüneburg und Celle vergleichbar, mit Rothenburg und Dinkelsbühl. Auch damals freilich schon Provinz. Das Leben Deutschlands lief an Braunschweig vorbei, so wie ein Braunschweiger Beitrag zum geistigen Leben der Deutschen, die Romane Wilhelm Raabes, auf eine höchst respektable Weise für entbehrlich gehalten wird. Aber – und das eben ist «deutsche Provinz» mit all ihren Zufälligkeiten, ihren verpaßten Gelegenheiten, ihren latenten Chancen – dieses gleiche Braunschweig war im 12. Jahrhundert eine der großartigsten deutschen Städte, und sein Herzog Heinrich war der mächtigste Deutsche neben dem Kaiser. Die beiden deutschen Weltstädte, zum Beispiel, gäbe es nicht ohne ihn. Hamburg ebnete er den Weg, indem er Bardowick zerstörte – das, hätte es Bestand gehabt, mit dem ein paar Kilometer entfernten Lüneburg zusammen den Norden hätte beherrschen können. Und München ebnete er den Weg, um bei dieser Metapher zu bleiben: indem er es gründete.

WASSERBURG DER GRAFEN DROSTE-VISCHERING BEI LÜDINGHAUSEN (WESTFALEN) – Sei es, weil die Berge hier nicht sehr hoch und schon gar nicht «uneinnehmbar» sind; sei es, weil es an natürlichen Gewässern einen großen Vorrat gab; sei es, weil einer einmal damit angefangen hatte und die Mode um sich griff: Tatsache ist, daß eine westfälische Adelsfamilie, die etwas auf sich hielt, am liebsten eine Wasserburg als Wohnsitz errichtete. Im 13. Jahrhundert fing das an; im 17. Jahrhundert hörte es auf, einen Sinn zu haben; und im 20. Jahrhundert sind diese Burgen eine schöne Verlegenheit. Das haben sie mit anderen Burgen gemeinsam; von denen sie sich auch sonst im Prinzip nur eben dadurch unterscheiden, daß der Burggraben nicht künstlich angelegt, sondern ein natürliches Gewässer ist. «Dahin sind die, welche sie bauten», schrieb Ricarda Huch, «und die, welche sich darin umtrieben, und ihre Geschichte ist ein Bild geworden zur Betrachtung für andere Geschlechter [...]»

RATHAUS ZU MÜNSTER – Die Fassade des Rathauses in Münster, wiederholt zwar restauriert, aber im wesentlichen so erhalten, wie sie 1335 einer älteren vorgebaut wurde, verfehlt ihren Eindruck nicht auf den, der Kontinuität vieler Geschlechter zu einem Teil seines Lebensgefühls gemacht hat. Um so weniger, wenn er sich vorstellt, daß hinter dieser Fassade der schlimmste deutsche Krieg, der dreißigjährige, beendet, daß dort 1648 jener Friedensvertrag mit Frankreich unterzeichnet wurde, auf den die Frage nach der Identität Deutschlands noch heute zurückgeht. Verbrieft und besiegelt wurde das Ende des Deutschen Reiches. Und was danach, mit mehr oder weniger Recht, wieder Deutschland sich nennt, ist nicht mehr südlich, kosmopolitisch, katholisch orientiert, wie das Reich der Habsburger es war, sondern nördlich, national, protestantisch. Das Reich der Hohenzollern, das Zweite Deutsche Reich, begann schon 1648 in Münster, man wußte es nur noch nicht.

und es ist viel weniger selbstverständlich, daß ich das Visum auch bekomme. Eine Strecke von knapp vierhundert Kilometern – das würde ich normalerweise mit dem Auto fahren. Statt dessen besorge ich mir eine Flugkarte nach Berlin; denn mit dem Auto läßt man mich schon gar nicht zurück in die kleine Stadt, der ich eine sogenannte humanistische Bildung verdanke.

Am S-Bahnhof Zoo nehme ich Abschied von der vertrauten Welt des Westens und setze mich in einen jener Züge, die von west-bewußten Berlinern lange Zeit boykottiert wurden, weil sie der DDR gehören. Zwischen den Stationen Lehrter Bahnhof und Friedrichstraße geben Bretterzäune zuweilen einen Blick frei auf die häßlichste und am schärfsten bewachte Grenze der Welt.

Gewiß waren es praktische Notwendigkeiten, die dazu geführt haben, daß der eigentliche Berliner Grenzübergang für Bahnreisende in den düsteren Tunneln und Schalterhallen unter den Bahngeleisen liegt. Aber die Katakombenstimmung rührt nicht nur daher. Ich habe diesen Grenzübergang inzwischen wohl fünfzigmal hinter mich gebracht – und habe ihn fünfzigmal als das Deprimierendste empfunden, was einem Deutschen mitten im Frieden passieren kann.

Bis hierhin stimmt die Geschichte mit manchen Textbuchvorstellungen überein: eine andere, eine ganz fremde Welt; ein Gefühl wo nicht geradezu der Angst, so doch des dauernden Bedrohtseins.

Auf der anderen Seite steigt der, der in die kleine Stadt fahren will, in genau die gleiche S-Bahn wieder ein und fährt bis zum Ostbahnhof, der früher einmal Schlesischer Bahnhof hieß. Es erschwert die Orientierung ungemein, daß so vieles anders heißt, als es früher hieß. Manches heißt allerdings auch auf verblüffende Weise noch genauso: zum Beispiel die Deutsche Reichsbahn.

Der Zug nach Leipzig ist seit damals schöner geworden, moderner, doppelstöckig, dabei weder schmutziger noch sauberer und gewiß nicht schneller.

Das Gefühl der Fremde verliert sich mehr und mehr. Es wird, im Gegenteil, vieles so merkwürdig vertraut. Es geht durch die Mark Brandenburg, «märkische Heide, märkischer

FREIZEITPROBLEME – Überall dort, wo Menschen in großer Zahl entfremdeter Arbeit in einem unnatürlichen Rhythmus ausgeliefert sind, einem Rhythmus, der durch die Bedürfnisse der Produktion und nicht durch die Bedürfnisse des Menschen bestimmt wird, entsteht Langeweile – heute «Freizeit-Probleme» genannt. Dagegen hilft noch immer das alte Rezept der römischen Kaiser: *panem et circenses*. Auf eine zeitgemäße Formel gebracht, heißt das: Suff und Sport – Sport freilich nicht von jener Art, die ein Sich-Vergnügen an dem physischen Leistungsvermögen des eigenen Körpers zum Inhalt hat; sondern es wird, viel zirkusähnlicher, Vergnügen an den Leistungen anderer empfunden, die gewissermaßen als Gladia-

toren auftreten. Prototypen dieser Art von Sport – die sich, für die Zuschauer, auch leicht mit Suff verbinden läßt – sind Berufsfußball und Sechs- tagerennen. Es kann danach nicht als Zufall er- scheinen, daß Kneipen, Berufsfußballmannschaf- ten und Sechstagerennen nirgendwo so hervor- treten wie in den industriellen Ballungszentren, in Westberlin und im Ruhrgebiet vor allem. Was den Berlinern ihr Schultheiß Patzenhofer ist, ist den Dortmundern ihr Union Bier. Wie in Berlin die Hertha, so kämpft in Dortmund die Borussia für Regionalpatrioten. Berlin und Dortmund haben auch die größten Sportarenen in geschlos- senen Räumen, wie sie für Radrennen gebraucht werden: Deutschlandhalle und Westfalenhalle.

Zwischen Rhein und Ruhr – Das Ruhrgebiet ist eine hundert Kilometer lange und dreißig Kilometer breite Industriemetropole, eine Riesengroßstadt aus Großstädten, von der nicht nur das Bundesland Nordrhein-Westfalen lebt, sondern ein großer Teil der ganzen Bundesrepublik Deutschland. Eine Landschaft grüner Wälder und blauer Gewässer wurde geopfert um des industriellen Fortschritts willen. In ähnlichen Dimensionen und mit freilich noch verheerenderen Folgen gibt es das nur noch einmal wieder in Deutschland: im nordsächsischen Industriegebiet zwischen Borna und Leuna. Dieses Industrie-Deutschland kommt zu kurz, wo schöne Bilder gesucht werden. Aber den Luxus des Schönen könnten wir uns nicht leisten, wenn es diese Industrielandschaften nicht gäbe. Im Ruhrgebiet wird für die Länder Europas die Hälfte aller Kohle gefördert, die sie benötigen, und ein Drittel allen Stahls gewonnen. Im nordsächsischen Industriegebiet werden, auf dem Wege über die Braunkohle, jene Energiequellen erschlossen, die die DDR zum zweitreichsten Staat des Ostblocks gemacht haben – so wie das Ruhrgebiet die BRD zum zweitreichsten Staat des Westblocks gemacht hat.

Sand», über Luckenwalde und Jüterbog zur «Lutherstadt Wittenberg» – wo der Hamburger wieder mal an der Elbe ist. Und «wenn der Zuch dann nochämma häld, dann simmer in Bitterfeld». Dahinter, bei Delitzsch, fängt das nordsächsische Industriegebiet an. Viele Orte dort haben diese slawischen Namen: Wieritzsch und Kieritzsch, Nitzschka und Groitzsch. Und viele sind ganz verschwunden, verschlungen von den Riesenbaggern, die im Tagebau nach der Braunkohle graben, welche dann in den riesigen Werken von Leuna und Espenhain hydriert wird und dabei die übelstriechende Schmutzluft erzeugt, die ich je geatmet habe.

Der Leipziger Hauptbahnhof, schon immer ein Stolz der Stadt, kommt dem Reisenden in die eigene Vergangenheit durchaus noch bekannt vor.

Der nächste Zug in die kleine Stadt fährt in vier Stunden. So große Pausen gab es früher nicht; aber dafür entspricht es ganz der internationalen Entwicklung: Rationalisierungsmaßnahmen auf Nebenstrecken. Und ein internationaler Trick verhilft auch hier zu einem Taxi. Taxifahrten sind in der DDR billig und Taxis daher knapp. Ich half mir, wie ich mir in Hamburg, New York oder Moskau geholfen hätte: Ich ließ mich kurz in der Halle eines Hotels nieder, wo offensichtlich Wert gelegt wurde auf internationales Renommee, bestellte etwas zu trinken, und nach ein paar Minuten ging ich zum Portier und sagte ihm

DÜSSELDORF AM RHEIN UND SOWEIT WIE MÖG-
LICH WEG VON DER RUHR – Wollte jemand die Hauptstadt eines Industriegebietes erfinden: sie könnte ihm
nicht besser gelingen als Düsseldorf. So eine Hauptstadt
sollte doch nicht mitten im Schmutzgebiet liegen, aber
bei gutem Willen noch dazugezählt werden können:
wie Düsseldorf. So eine Stadt sollte, gerade weil sie die
Hauptstadt eines Schmutzgebietes ist, durch Sauberkeit
und Eleganz sich hervortun: wie Düsseldorf. So eine
Stadt sollte alt sein, weil doch nur alte Städte in einer
Kulturlandschaft überhaupt registriert werden, und sie
sollte doch eigentlich keine Geschichte haben, die von
ihrer Funktion als Hauptstadt eines reichen Landes

neuesten Ursprungs ablenken könnte: alles wie Düsseldorf. Es gibt in Düsseldorf mehr Millionäre und mehr
Juweliere als in irgendeiner Stadt Deutschlands. Es gibt
deswegen auch ein deutsches Ressentiment gegen Düsseldorf – vor allem, aber keineswegs nur, bei den Kölnern. Ein deutscher Schlager wurde zum deutschen
Schlager, weil er mit dem überall in Deutschland gern
nachempfundenen Satz beginnt: «Wärst du doch in
Düsseldorf geblieben.» Was ebenso ungerecht wie unrealistisch ist. Ungerecht: denn das Ruhrgebiet ernährt
einen großen Teil Westdeutschlands auf dem Wege über
Düsseldorf; unrealistisch: denn wer Geld hat, fährt,
wohin er will – und ist überall willkommen.

Köln und der Kölner Dom – Karneval in Köln – Ein Funkenmariechen – Wer den Schichten deutschen Lebens nachspüren will, sehe nach Köln. Wo immer man dort gräbt, stößt man auf römische Fundamente. Über ihnen wuchs Köln empor zur größten und reichsten Stadt des deutschen Mittelalters. Der Kölner Erzbischof und Kanzler des Kaisers Barbarossa war der mächtigste Mann in Deutschland. Damals wurde der Kölner Dom gebaut. Aber er gedieh nicht weit über Chor, Mittelschiff und Turmstümpfe hinaus. Köln verarmte, zerriß sich in inneren Streitigkeiten zwischen Geistlichen und Weltlichen, zwischen Adel und Zünften. Die Arbeit am Dombau ruhte, dreihundert Jahre lang. Köln wurde von den französischen Revolutionsarmeen erobert und in der Franzosenzeit ganz umgebaut. Von den 140 Kirchen, die es im 18. Jahrhundert hatte, blieben nur etwa zwanzig übrig. Der Dom entging knapp der Zerstörung. Dann kamen die Preußen. Wieder wurde Köln umgebaut. Und der Dom wurde vollendet. Im Zweiten Weltkrieg wurde Köln zerstört wie keine andere deutsche Stadt. Und doch hat Köln über zwei Jahrtausende hinweg seine unverwechselbare Identität bewahrt. Drei Konstanten haben dafür gesorgt: die Lage am Rhein, der Dom und der Karneval. Deutschland hat mehr Flüsse, weitaus mehr als jedes andere Land vergleichbarer Größe. Aber der Rhein, der meistbesungene Strom der Welt, ob durch Ideologien verherrlicht oder durch Abwässer vergiftet, ist der Fluß aller Flüsse. Deutschland ist reich an mittelalterlichen Domen, reicher als an Gläubigen, und der auf so akademische Weise zu Ehren des Kaisers mehr als zu Ehren Gottes fertiggestellte Kölner Dom ist nicht der schönste – aber durch seine Geschichte wie durch seine Umgebung eben doch der Dom aller Dome. Wenn einer von «der Domstadt» spricht, meint er Köln. Karneval schließlich gibt es nicht nur in Köln; Mainz und Düsseldorf machen den Kölnern Konkurrenz, vom Fasching in München nicht zu reden. Aber die Funken und Funkenmariechen, die Kölner Karnevalsstadtsoldaten und ihre, sagen wir, Marketenderinnen, wirken trotz ihrer Kostüme nie als Schauspieler oder Trachtengruppe, die um der Touristen willen jodelt. Karneval in Köln ist – in einer Zeit und in einem Land, wo man das Feiern von Festen verlernt hat – noch immer ein richtiges Volksfest, kraftzehrend, geldfressend, auf eine wunderbar oder erschreckend vulgäre Weise fröhlich, umwerfend echt kölsch.

Das Treppenhaus von Balthasar Neumann im Schloss Brühl – Der berühmteste Treppenhaus-Baumeister aller Zeiten war der Böhme Balthasar Neumann (1687–1753). Als der Kurfürst und Erzbischof Clemens August sich zwischen Köln und Bonn eine Sommerresidenz bauen lassen wollte, lieh er sich Neumann aus von dem Würzburger Fürstbischof, und aus München holte er sich den Franzosen Cuvilliés, der dort Hofbaumeister war. So geriet eine kräftige Dosis süddeutschen Spätbarocks in den Norden der heutigen Bundeshauptstadt und nimmt sich dort eigentlich recht sonderbar aus. Aber für repräsentative Staatsempfänge trifft sich das glücklich.

Freudenberg im Sauerland – Fachwerkhäuser haben mit Spezialgerichten wie Bodenseefelchen oder Nordseekrabben eines gemeinsam: während sie heute von Kennern, von Feinschmeckern geschätzt und hoch bezahlt werden, verdanken sie ihr Entstehen der banalen ökonomischen Tatsache, daß sie billig waren. Jedenfalls gilt das für so geschlossene Fachwerksiedlungen wie den «alten Flecken» von Freudenberg, wo das Siegerland übergeht ins Sauerland. 55 Häuser und die Kirche wurden dort im völlig gleichen Stil des auf bürgerliche Bedürfnisse reduzierten Siegerländer Bauernhauses gebaut, nachdem ein Brand 1666 den ganzen Ort zerstört hatte.

etwas Freundliches. Er erwies sich daraufhin als zu höflich, mich danach zu fragen, ob ich Gast des Hauses sei – zehn Minuten später hatte ich ein Taxi; eine Stunde später war ich wieder in der kleinen Stadt, wo meine Schule stand.

Die Schule hieß Schule unter den sächsischen Kurfürsten, die sie gründeten. Auch als die Fürsten Könige von Sachsen wurden, hieß die Schule weiterhin Schule. Gebildete und bildungsfreudige Humanisten nannten sie dann Gymnasium. Als im November 1918 der abdankende König Friedrich August sich von seinen ihm zujubelnden Untertanen verabschiedete mit den geflügelten Worten «Ihr seid mir scheene Räubuliganer», hieß die Schule noch immer Gymnasium. Und heute heißt die Schule nun wieder Schule, genauer: «weiterführende Oberschule». Die Erziehung des Menschengeschlechts schreitet nicht eben sehr eilig fort.

In der Mitte einer solchen kleinen Stadt liegt der Marktplatz mit dem Rathaus, und die Kirche liegt nicht weit davon entfernt. Zur Belohnung fleißiger Kirchgänger gibt es auch ein paar Wirtshäuser in der Nähe, von denen das größte meist «Ratskeller» heißt. Daß manche Männer auch direkt dorthin und nicht erst in die Kirche gehen, war im protestantischen Norden Deutschlands schon lange üblich.

Als ich gerade zur Schule kam, hieß dieser Platz «Friedrich-Ebert-Platz». Aber die Leute nannten ihn Marktplatz. Als die Nationalsozialisten 1933 wie in ganz Deutschland so auch in der kleinen Stadt die Verwaltung übernahmen, wurde der Platz umbenannt in «Adolf-Hitler-Platz». Die Leute aber nannten ihn Marktplatz. Als die kleine Stadt 1945 von den Sowjettruppen besetzt wurde, hieß der Platz «Stalin-Platz», auf Befehl der Militärregierung. Die Leute freilich nannten ihn Marktplatz, und sie nennen ihn auch heute noch so, nachdem im offiziellen Namen – aus Gründen der großen Weltpolitik, die sich in der kleinen Stadt so treulich spiegelt – «Stalin» durch «Karl Marx» ersetzt worden ist.

Wenn man, sonntags oder werktags, mit oder ohne Kirchbesuch, in eines dieser Wirtshäuser geht, trifft man dort freundliche Menschen. Und es könnten, dem Augenschein nach, heute noch immer die gleichen sein wie in meiner Jugend. An ihren Kleidern sieht man, ob Sonntag oder Werktag ist. Immer, seit 1933, gab es auch ein paar Uniformen darunter, aber

nie waren es viele, so sehr gerne sind Uniformen in Kneipen nicht gesehen, die Unterhaltungen werden etwas leiser in ihrer Nähe – es sei denn (ich habe das vor kurzem mit den gleichen Worten gehört wie in längst vergangenen Zeiten): das ist doch nur ein Soldat.

Gewiß saß da früher auch dieser oder jener überzeugte Nazi, gewiß sitzen da heute auch fanatische Kommunisten – aber sie sind nett und freundlich, die kleinen Leute in den kleinen Kneipen einer kleinen Stadt.

Sie sind nicht zufrieden, natürlich nicht. Sie waren nie zufrieden. Und immer haben sie ein bißchen Angst, vor der Ehefrau oder vor einem Vorgesetzten oder vor der Partei. Aber sie haben nicht sehr viel Angst, denn sie haben nicht sehr viel zu verlieren. Und einer kennt den anderen.

Niemand ist reich in der kleinen Stadt, und deswegen gibt es wenig Neid. Die oberen Hundert treffen sich gerne in einem verhältnismäßig elegant eingerichteten Clublokal, wo es außer Bier auch einmal Wein gibt und guten Kaffee. Früher hieß das «Volkshaus», nach 1933 hieß es «Braunes Haus», und heute heißt es «Haus der Gewerkschaften».

Provinzielle Idylle? «Provinz» vielleicht, aber von «Idylle» kann inmitten eines so rührigen und schmutzigen Industriegebietes wohl kaum die Rede sein. Was Nordrhein-Westfalen für die Bundesrepublik, das ist Sachsen für die DDR.

Es scheint, als ob es für die kleine Stadt ganz unwichtig wäre, wer in Berlin regiert: Kapitalisten oder Faschisten oder Kommunisten. Sosehr es Ideologen erbittern mag: daran ist etwas Wahres. Nur muß man versuchen, die beobachteten Tatsachen genauer zu fassen.

Sicher hat sich ja vieles auch verändert. Und es wäre nun zu fragen, warum dem westdeutschen Beobachter vor allem das auffällt, was sich nicht geändert hat.

Das hängt wohl zum einen mit der Natur des Menschen zusammen, zum zweiten mit der Lage der DDR und zum dritten mit einem Phänomen, das mir eigentümlich «deutsch» erscheint und als solches nicht uninteressant.

Der Beobachter sieht, was die Leute tun – nicht, was sie denken. Auch Unterhaltungen und Gespräche sind, zumindest wenn ein Fremder dabei ist, eher dem Tun zuzuordnen als dem Denken.

REGIERUNGSVIERTEL IN BONN AM RHEIN – Am 3. November 1949 wurde Bonn nach dem Willen Konrad Adenauers Hauptstadt der Bundesrepublik Deutschland. Bis dahin war es eine kleine Residenz- und seit 1818 Universitätsstadt gewesen. Der Kurfürst und Erzbischof von Köln hatte sich dorthin zurückgezogen. Sein Schloß reichte aus, die ganze Universität aufzunehmen. Von Kliniken und naturwissenschaftlichen Instituten abgesehen, beherbergt es noch heute den größeren Teil der Hochschule. In der Gronau, wo jetzt das Regierungsviertel liegt, waren Parks, Grünanlagen, Sportplätze, Felder. Von dort aus schwammen die Studenten noch 1948 gerne durch den Rhein, hinüber nach Beuel, oder sie ließen sich von Schleppkähnen bis über Mehlem hinauf mitnehmen und dann mit der Strömung wieder abwärtstreiben. Am Rande der Gronau war gerade eine Pädagogische Akademie gebaut worden – aus ihr wurde das Bundeshaus. Aus alten Villen am Rheinufer nebenan machte man die Residenzen des Bundespräsidenten und des Bundeskanzlers. Dann hieß es: Ende des Provisoriums. Ein neues Bundeskanzleramt wurde errichtet und ein Hochhaus für die Abgeordneten, nach dem seinerzeit verantwortlichen Bundestagspräsidenten Eugen Gerstenmaier «der lange Eugen» genannt; dazu Ministerien, Botschaften, Parteizentralen, Hotels. So wurde die ganze Gronau zugebaut, bis nach Bad Godesberg hin, dem inzwischen eingemeindeten Pensionärsstädtchen. Durch Eingemeindungen ist Bonn die drittgrößte Stadt am Rhein geworden, nach Köln und Düsseldorf. Die Scherze vom «Bundeshauptdorf», wo man in der «Verbonnung» lebt, leuchten nicht mehr ein!

DAS WEINSTÄDTCHEN ZELL AN DER MOSEL –
Die Mosel ist mit Hilfe von riesigen Staudämmen kanalisiert worden. Asphaltierte Straßen führen am Ufer, manchmal sogar an beiden Ufern entlang. Hier und da hat sich leichtere Industrie niedergelassen. Aber so richtig mithalten in unserer schnellebigen Zeit kann dieser Fluß doch nicht; dafür schlängelt er sich zu geruhsam und unökonomisch zwischen Eifel und Hunsrück von der Grenze zum Rhein, von Trier nach Koblenz. Die Dörfer und kleinen Städte leben vor allem von den Fremden und von dem Wein, den sie ihnen verkaufen. Zwischen Trittenheim und Traben-Trarbach finden wir die großen Lagen: Piesport, Filzen, Brauneberg, Bernkastel, Wehlen, Graach, Zeltingen, Ürzig, Erden. Wo der Boden so viel nicht hergibt, muß man sich etwas einfallen lassen. In Zell, der an ihrem Runden Turm von weither erkennbaren Kreisstadt, ersann man einen Schutzpatron, dem mit Recht auf dem Marktplatz ein Denkmal gesetzt wurde: die Zeller Schwarze Katz.

DIE PORTA NIGRA IN TRIER AN DER MOSEL –
Eine alte Lebensregel deutscher Lebenskünstler heißt: Laß dich nieder, wo Wein wächst und wo die Römer waren. Nach diesen Kriterien gäbe es keine andere deutsche Stadt, die mit Trier wetteifern könnte. Denn zwischen dem Glasbeton des 20. Jahrhunderts zeichnet sich die Römerzeit im Stadtbild markanter ab als das deutsche Mittelalter. Das liegt gewiß an Museumsstücken wie den Thermen, der Basilika, dem Amphitheater, vor allem aber der Römerbrücke und der Porta Nigra, dem im 2. Jahrhundert errichteten Nordtor des römischen Mauerrings. Und ein übriges tat auch Napoleon, der dieses Stadtbild planmäßig erneuerte, der etwa die Simeonskirche, von Erzbischof Poppo im 11. Jahrhundert in die Porta Nigra hineingebaut, wieder herausbrechen ließ. Freilich bewahrte das römische Erbe die Trierer nicht vor einer traurigen christlichen Geschichte: Dort wurden mehr «Hexen» verbrannt als in irgendeiner anderen deutschen Stadt.

DAS MÜNSTER ZU AACHEN: OKTOGON UND THRON KARLS DES GROSSEN – Als die Sachsenkaiser im 10. Jahrhundert darangingen, das Heilige Römische Reich neu zu gründen, da war ihr Vorbild nicht mehr sosehr das römische Imperium, sondern vielmehr das Reich jenes Frankenkaisers Carolus, dem die Historiker aller Zeiten und Völker das Epitheton Magnus belassen haben. Die Krönungen fanden seit 936 und bis 1531 möglichst im Münster zu Aachen statt, wo Karl der Große selber nicht gekrönt worden war – das hatte zum Kummer des Kaisers in Rom stattgefunden. Aachen war eine Kaiserpfalz wie Ingelheim, Worms, Nimwegen, Heristal, Diedenhofen, Attigny: eine befestigte Residenz des Kaisers, der zuweilen dort einzog, im übrigen jedoch, wie alle seine Nachfolger, ein ambulantes Leben führte. So eine Pfalz hatte natürlich auch eine Kapelle, und aus der Aachener Pfalzkapelle, dem achteckigen Zentralbau mit Kuppel (unser Bild), entwickelte sich das Aachener Münster. Dieser heilige Ort erlangte Vorzüge vor anderen heiligen Orten dadurch, daß Karl der Große im Alter die Residenz Aachen vorzog und schließlich am 8. Januar des Jahres 814 dort starb. Im Karlsschrein des Münsters ruhen seine Gebeine. Und auf der Westseite des sechzehneckigen Oktogon-Obergeschosses steht, aus glatten Marmorplatten gefügt, der Thron Karls des Großen (Bild), auf dem der Frankenkaiser vermutlich nie gesessen hat, der jedoch im Krönungszeremoniell der Sachsenkaiser Verwendung fand. Der Mythos vom Reich, der bei allen Vereinigungsmühen der Deutschen das ganze Mittelalter hindurch, dann wieder bei den Hohenzollern und schließlich bei Hitler eine so große Rolle spielte, er wurde schon von den Ottonen klug genutzt. Wozu einige Selbstverleugnung gehörte, denn schließlich war Karl der Große mit ihren heidnischen Vorgängern nicht eben glimpflich umgesprungen. Deutschnationalbewußte Historiker sahen darin einen Grund, sich zu distanzieren und nur von «Karl dem Franken» zu reden. Was historisch durchaus berechtigt ist. Karl war kein Deutscher. Wort und Begriff «deutsch» kamen erst im 10. Jahrhundert auf mit den Ottonen. Doch auch unter ihnen und ihren Nachfolgern finden wir für «das Reich» nur die Bezeichnungen «Romanum Imperium» (1034), «Sacrum Imperium» (1157), «Sacrum Romanum Imperium» (1157). Der späte Zusatz «Nationis Germanicae» (1486) hatte bis 1871 keinerlei staatsrechtliche Bedeutung. Auch Kraft und Macht des Ersten Deutschen Reiches, scheinbar mit Händen zu greifen im Aachener Münster, lagen allzeit mehr in der Welt der Sehnsucht, des Pathos, der Legende als in der Welt der politischen, sozialen, nationalen Realitäten.

Die Verhaltensweisen jedoch, um die es hier geht, orientieren sich an Erfahrungen und Zwängen, die von politischen Systemen weniger abhängig sind, als Ideologen das wahrhaben wollen. Sie lassen sich am ehesten als Spruchweisheiten formulieren. Der Verhaltensmechanismus des Bürgers wie des Genossen in der kleinen sächsischen Stadt scheint mir von *idées reçues* wie den folgenden gesteuert:

Wenn du dir nicht selber hilfst, hilft dir keiner. Wer glaubt, er sei was Besseres, hat schon Unrecht. Die in Leipzig meinen alles besser zu wissen und haben keine Ahnung. Die in Berlin meinen alles besser zu wissen und sind weit weg. Durst ist schlimmer als Heimweh. Hauptsache, daß die Kohlen stimmen. Thema 1 bleibt Thema 1. Paragraph 11: Laß dich nicht erwischen. Man möchte sich auch mal was leisten können. Eigener Herd ist Goldes wert. Nur nicht auffallen. Zahnschmerzen sind das Schlimmste. Deutsch sein heißt, eine Sache um ihrer selbst willen tun. Was du nicht willst, daß man dir tu, das füg auch keinem andern zu. Einer muß der Dumme sein. Der Spatz in der Hand ist besser als die Taube auf

Burg Katz über St. Goarshausen am Rhein – Wer einmal mit amerikanischen Besuchern den Rhein von Koblenz nach Mainz hinaufgefahren ist, hat den Verzückungsruf «A castle!» noch lange im Ohr. Er erklingt auf dieser Fahrt etwa dreißigmal – dreimal bei St. Goarshausen: Burg Maus, Burg Katz und (auf dem anderen Ufer) Burg Rheinfels. Weniger leicht zu erkennen ist dann gleich hinter St. Goarshausen der durch Heinrich Heine berühmteste Felsen der Welt: die Loreley. Und wo kein kundiger Führer darauf aufmerksam macht, übersehen die Besucher wohl ganz, daß sechs Kilometer südlich der Loreley die größte deutsche Weinlandschaft beginnt: der Rheingau, rechtsrheinisch zwischen Lorch und Wiesbaden, mit den großen Weinorten Aßmannshausen, Rüdesheim, Geisenheim, Winkel, Hattenheim, Eltville, Nieder-Walluf und, weiter landeinwärts, vor allem Johannisberg und Kloster Eberbach. Hier im Rheingau werden nur drei Prozent des deutschen Weins geerntet; aber auf sie gründet sich das Weltrenommee des deutschen Weins zu fünfzig Prozent. Weitere vierzig Prozent entfallen auf die Mittelmosel mit Saar und Ruwer. Und in die restlichen zehn Prozent müssen sich alle übrigen Weinanbaugebiete teilen: die Ahr, der Mittelrhein, die Nahe, Rheinhessen, die Pfalz, Franken, Württemberg, Baden und der Bodensee. Wie sich dabei Verdienst und Glück mischen, ist auch unter Weinkennern umstritten. Im allgemeinen ist Deutschland ja kein Weinland wie Italien oder Frankreich. Wer hier trinkt, trinkt erstens Kaffee, zweitens Bier, drittens Milch; Obstsäfte, Limonaden und Tee folgen; und an letzter Stelle kommt der Wein. Mehr als neun Zehntel allen guten deutschen Weins werden getrunken in den internationalen Hotels und Restaurants – und in den Anbaugebieten. In den Anbaugebieten jedoch schwören die Leute auf ihren eigenen Wein. Und sie haben dabei völlig recht. Noch eine Regel für Lebenskünstler: Deutscher Wein schmeckt nirgendwo so gut wie dort, wo er gewachsen ist.

dem Dach. Man muß sich nach der Decke strecken. Man müßte noch einmal ein ganz neues Leben anfangen. Wer weiß, was nach dem Tode kommt. Wie man sich bettet, so schläft man, und wie man in den Wald hineinruft, so schallt es heraus. Man sollte jeden Tag ein gutes Werk tun. Das Leben geht weiter. Die da oben haben gut reden. Im Grunde sind wir doch alle arme Schweine.

Daß solche Motivierungen menschlichen Verhaltens nicht nur für die Bewohner einer kleinen Stadt in Sachsen gelten, versteht sich. Sie sind bestimmt nicht vollständig und im einzelnen nicht immer zutreffend. In der Summe aber bewirken sie jene erstaunliche Kontinuität menschlichen Verhaltens in einer scheinbar rapide sich ändernden Welt.

Die kleine Stadt in Sachsen erscheint gerade einem Westdeutschen so wenig verändert, weil sich die Bundesrepublik so drastisch verändert hat.

Es ist gleichsam ein Gesetz der europäischen Zivilisation, daß die starken Einflüsse immer von Westen nach Osten wirkten. Der Geschichtsphilosoph Salvador de Madariaga resümierte in seinem *Porträt Europas* (1952): «So enthüllt Europa entlang seiner West-Ost-Achse von Moskau über Berlin und Paris zwei Reihen von Spannungen: eine Reihe der Anziehung, Ehrerbietung und Nachahmung, die von Osten nach Westen läuft, von Rußland durch Deutschland nach Frankreich, und eine andere Reihe, zusammengesetzt aus Überlegenheitsgefühl, Interesse, Respekt und Furcht, die von Westen nach Osten verläuft, von Frankreich durch Deutschland nach Rußland.»

In diese West-Ost-Achse läßt sich auch Amerika einbeziehen. Von Westen nach Osten ging in den Jahren nach dem Zweiten Weltkrieg eine starke Welle der «Amerikanisierung», die sogar so stabile Zivilisationen wie die englische und die französische sichtlich verändert, die jedoch ein so labiles Gebilde wie die Bundesrepublik völlig aus den Angeln gehoben hat. Am Eisernen Vorhang machte sie halt.

Gewiß, ein bißchen Jazz und Nylon drangen weiter nach Osten, ein bißchen Wodka und Kaviar von Osten nach Westen. Aber das ist nicht viel. Es gibt keine starke Beeinflussung des abendländischen Westens durch den Osten, es gab sie nie. Seit wir Nationalstaaten kennen, haben sich die Russen gerne an den Deutschen, die Deutschen an den Franzosen

Park Wilhelmshöhe mit dem Herku-
les in Kassel – Kassel war einmal die Residenz-
stadt Nordhessens. Seinem Landgrafen Karl verdankt es die großzügigen Anlagen der Karlsaue
mit Orangerie (1702) und des Bergparks mit dem
Herkules (1701–1717), der zum Wahrzeichen Kas-
sels wurde, da er die Stadt weithin sichtbar überragt. An der Stelle des alten Jagdschlosses Weißen-
stein wurde 1781 Schloß Wilhelmshöhe gebaut,
nach dem nun auch der Park heißt. Mit dem
Museum Fridericianum entstand in Kassel, 1769
bis 1779, der erste deutsche Museumsbau. Solcher
Tradition verpflichtet, veranstaltet Kassel mit
Unterstützung des Landes Hessen alle vier Jahre
die wichtigste Ausstellung moderner Kunst in
Deutschland, die *documenta*. Drei Viertel der Stadt

wurden am 22. Oktober 1943 durch einen Luft-
angriff zerstört. Eine großzügige Stadtplanung
wußte die Chance, die darin auch lag, zu nutzen:
es entstand eine City für Fußgänger, umgeben
von einem Ring breiter, untertunnelter Straßen
mit ausreichenden Parkmöglichkeiten. Eine vor-
bildliche Stadt, eigentlich, mit genug Industrie,
um leben zu können, und mit allen «Einrichtun-
gen» einer entwicklungsfähigen Infrastruktur.
Aufschlüsse über das Leben im Deutschland
unserer Zeit könnten gewonnen werden, wenn es
gelänge, die Frage zu beantworten, warum dennoch niemand freiwillig von Hannover oder
Frankfurt – oder gar von Hamburg oder München – nach Kassel zieht.

und Engländern, Franzosen und Engländer neuerdings auch an den Amerikanern orientiert. Selten orientierten sich die Amerikaner an den Franzosen und Engländern, die Franzosen und Engländer an den Deutschen, die Deutschen an den Russen.

Obwohl es ohne sowjetrussische Hilfe gewiß nicht möglich gewesen wäre, daß als DDR im Osten Deutschlands in so kurzer Zeit ein kommunistischer Staat entstehen konnte, ist dieser ostdeutsche Staat unter östlichem Einfluß viel weniger verändert worden als der westdeutsche unter westlichem Einfluß. Deswegen ist der DDR viel stärker ein Attribut erhalten geblieben, das wir, *faute de mieux,* «deutsch» nennen.

Freilich gilt das für eine kleine Stadt in Sachsen mehr, als es etwa für die ganze DDR gälte, deren Eisenhüttenkombinate, Kolchosenbetriebe und neoklassizistische Kolossal-architektur (um nur drei auch optisch wahrnehmbare Veränderungen zu registrieren) denn doch etwas Neues und vorher so nicht Dagewesenes markieren.

Hier spätestens erinnert sich der Leser dann wohl auch dieser oder jener westdeutschen Stadt, an der so große Veränderungen nun wieder nicht festzustellen sind – sei es, daß diese Städte wie Rothenburg ob der Tauber durch museale Pflege erhalten geblieben, oder sei es, daß sie wie die alten Hansestädte einer immer wieder erneuerten Tradition fest verhaftet sind.

Es läuft darauf hinaus: Die kleine Stadt in Sachsen hat sich nicht nur deswegen so wenig verändert, weil viele menschliche Verhaltensweisen, wie man sie in kleinen Städten besonders gut beobachten kann, erstaunlich konstant bleiben und weil es in der DDR eine der westdeutschen Amerikanisierung vergleichbare «Russifizierung» nicht gegeben hat. Die kleine Stadt in Sachsen hat sich auch vor allem deswegen so wenig verändert, weil es eine kleine Stadt ist.

In einem Land wie Deutschland, dessen nationale Identität immer problematisch war, hat es doch auch immer Kollektivgebilde mit einem ganz eindeutigen und schwer zu erschüt-ternden Selbstverständnis gegeben. Nicht jede deutsche Stadt ist eine identifizierbare Einheit in diesem Sinne; aber viele hundert deutsche Städte, auch ein paar Dörfer, sind es.

Nehmen Sie etwa Beilstein. Viele haben von Beilstein noch nie etwas gehört. Darum erzähle ich von Beilstein.

MARBURG AN DER LAHN, MIT HESSISCHEM FÜRSTENSCHLOSS – Marburg liegt, wie beinahe alle deutschen Städte, an einem Fluß, und es hat, wie beinahe alle mittelalterlichen deutschen Städte, eine Fürstenresidenz, die «Burg» immer dort genannt wird, wo das wehrhaft Trutzige, «Schloß», wo das repräsentativ Prächtige betont werden soll. Kein Wunder, daß die Bezeichnungen manchmal durcheinandergehen. Bemerkenswerter an Marburg ist seine alte Universität, 1527 gegründet – denn die teilt es nur mit dreizehn anderen deutschen Städten: Heidelberg (Universität seit 1386), Leipzig (1409), Rostock (1419), Greifswald (1456), Freiburg (1457), Tübingen (1477), Jena (1558), Würzburg (1582), Kiel (1665), Halle (1694), Göttingen (1737), Erlangen (1743) und Münster (1780). Mit der Universität Berlin (gegründet 1810) beginnt die Geschichte der neueren, mit der Universität Konstanz (gegründet 1966) die

Geschichte der neuesten deutschen Universität. Es ist, wie man sieht, eine alte Geschichte. Dabei sind die alten deutschen Universitäten dadurch zu kennzeichnen, daß sie deutlich einen Stifter hatten und einen Auftrag, meist einen ungeniert ideologischen Auftrag. Die Herrschaftsverhältnisse waren völlig klar, und wo sich die Universität dagegen auflehnte, tat sie das als «universitas magistrorum et discipulorum», als Gemeinschaft der Lehrenden und der Lernenden. Eine Konfrontation hie Professoren, da Studenten, wie sie bezeichnend wurde für die neuesten Universitäten, gab es nicht. Die Universität Marburg war die erste protestantische Universität. Sie war dotiert aus ehemaligen Kirchen- und Klostergütern, und ihr Auftrag war reformatorisch. Sie hat diesen Auftrag vorbildlich erfüllt. Bis in jüngere und jüngste Zeit war kein anderes Fach in Marburg kontinuierlich so glänzend vertreten wie die protestantische Theologie.

DER DOM ZU WORMS, VON WESTEN – Der Wormser Dom wirkt geschlossener als andere Bauwerke vergleichbaren Ranges. Zwar wurde auch er errichtet auf älteren Grundmauern und angereichert mit jüngeren Zutaten: im wesentlichen jedoch entstand die doppelchörige Basilika in den fünfzig Jahren zwischen 1170 und 1220 – eine Rekordbauzeit für einen Dom! Aber assoziierendes Bewußtsein verbindet mit Worms Älteres und Jüngeres als den Dom – und beides im Grunde domfeindlich. Worms war die alte Hauptstadt der Burgunder, und die Nibelungensage von Gunther und Gernot und Gieselher, von Kriemhild und Brunhild, von Volker und Hagen – «ze wormse bi dem rhine si wonden mit ir kraft» – reicht weit zurück in heidnische Vorzeit. Von den mehr als hundert Reichstagen, die in Worms abgehalten wurden, hat für die deutsche Geschichte kein anderer die gleiche Rolle gespielt wie der des Jahres 1521. Martin Luther verteidigte den neuen Glauben und sprach die seither berühmten Worte: «Hier stehe ich, ich kann nicht anders, Gott helfe mir, Amen!» In Worms begann die Gegenreformation.

ROTUNDE DER MICHAELSKIRCHE VON FULDA – Im Kloster von Fulda ist heute ein Priesterseminar untergebracht, das Nachwuchssorgen hat. Wie es mit der Kirche und der Frömmigkeit in Deutschland abwärtsgegangen ist, läßt sich an den religiösen Bauten ablesen, gerade in Fulda, das noch immer wie eine katholische Enklave im protestantischen hessischen Norden wirkt. Im Dom liegen die Gebeine des heiligen Bonifatius, des Apostels der Deutschen, der durch seinen Schüler Sturmius das Benediktinerkloster Fulda gründen ließ. Man glaubt, auf den Tag genau zu wissen, wann: am 12. März 744. Zehn Jahre später erschlugen ihn die friesischen Heiden. Die Stiftskirche des Klosters war einmal ein so gewaltiger Bau wie der Dom zu Worms, für den sie das Vorbild gewesen sein soll. Das Kloster wurde immer prächtiger ausgebaut zur Residenz der Äbte, die sich bald Fürstäbte und im 18. Jahrhundert schließlich Fürstbischöfe nennen durften. Ein ungeheurer weltlicher Aufwand wurde da getrieben im Namen des Geistes – und das in der armen Rhön. Als zu Anfang des 18. Jahrhunderts Barock Mode wird, läßt der Fürstabt von Fulda seine Stiftskirche einfach niederreißen und einen Barockbau an ihre Stelle setzen. Und ein Barockschloß läßt er sich errichten und einen Marstall und eine Orangerie und eine Fasanerie und eben alles, was ein Barockfürst so haben mußte. Was das alles noch soll in einer kleinen Stadt, die selbst heute noch nicht reich ist, möchte mancher sich manchmal fragen. Die Frage stellt sich nicht, wenn man in die Michaelskirche (unser Bild) kommt. Zwar hat auch sie ein überflüssiges Langschiff angebaut bekommen und einen überflüssigen Turm; aber die kraftvolle Frömmigkeit der nach altchristlichem Vorbild in Form einer Rotunde mit acht Säulen errichteten Friedhofskapelle ist erhalten geblieben: das schönste kirchliche Bauwerk des frühen Mittelalters in Deutschland. Neben ihr stehen Barockbauten, denen die höhere Heiterkeit der Wies-Kirche fehlt, beschämt da: will man sie ernst nehmen, als Zeugen.

Im Jahre 1319 erlangte ein Johann von Braunshorn von Kaiser Heinrich VII. für die Häuser am Fuße seiner Burg städtische Privilegien und die Erlaubnis, zehn Juden dort anzusiedeln.

Die «Stadt» hatte nie mehr als zweihundert Einwohner, ist also immer ein Dorf geblieben, das vom Ackerbau lebte und von einem selten völlig ausreifenden Wein.

Die Burg ging über an die Herren von Metternich und verfiel schon im siebzehnten Jahrhundert; aber noch der berühmt-berüchtigte österreichische Außenminister und Gegenspieler Napoleons war Inhaber der Herrschaft Beilstein. Und die Ruine heißt noch heute «Burg Metternich».

Die «Stadt» hat sich seit damals wenig verändert. Die alte Kirche wurde Gemeindesaal, das Zehnthaus Speicher, das Karmeliterkloster und das Amtshaus der Metternich-Verwalter wurden Hotels.

Die Hauptstraße ist keine Straße, sondern eine Treppe, die vom Marktplatz – dem kleinsten Marktplatz Deutschlands – emporführt aus dem Moseltal zur Karmeliterkirche,

Vor dem Hauptbahnhof von Frankfurt am Main – Die alte deutsche Königs- und Kaiserstadt Frankfurt, Freie Stadt noch bis 1866, gibt es nicht mehr. Zwar wurden neben anderen historischen Gebäuden der Dom und auch das Rathaus, das in Frankfurt «Römer» heißt, aus den Trümmern des Jahres 1945 wieder ausgegraben. Aber Hochhäuser und Hotels, Straßenschluchten und U-Bahn-Schächte wuchsen schneller, raumgreifender. Nachdem alle Königs-, Kaiser- und Hauptstadtträume ausgeträumt waren, besann sich Frankfurt auf eine zweite alte Tradition: 1240 gewährt Friedrich II., urkundlich verbrieft, der Frankfurter Herbstmesse seinen kaiserlichen Schutz. Messestadt ist Frankfurt konsequent geworden, Bankenstadt, Geschäfts- und Verkehrszentrum der Bundesrepublik Deutschland. Alle Wege, von Osten nach Westen, vor allem aber von Norden nach Süden, führen über Frankfurt. Frankfurt hat die besten Hotels («Hessischer Hof» und «Frankfurter Hof»), den größten Flughafen, den verkehrsreichsten Bahnhof, die meisten Autobahnkreuzungen. Es kam dadurch auch ein ganz neuer Baustoff ins Stadtbild. Nichts unterscheidet, wenn man einmal genauer hinschaut, das Bild einer Stadt heute vom Bild der gleichen Stadt vor fünfzig Jahren so sehr wie dieser neue Baustoff: lackiertes Blech. Das Blech der hunderttausend Autos nämlich, die jeden irgend befahrbaren Quadratmeter Boden unserer Großstädte zudecken – nirgendwo mehr als in Frankfurt. Da ist überall Blech. Nachts sieht das ganz schön aus: da vereinigen sich Blech-von-vorne-Weiß und Blech-von-hinten-Rot zu endlosen Lichterbändern... Wer es in Frankfurt zu etwas gebracht hat, wohnt nicht in Frankfurt, sondern in Bad Homburg oder im Taunus. Bewohnbar wird Frankfurt unten am Main, vor allem auf der anderen Seite, in Sachsenhausen. Aber Autos gibt es da auch. Frankfurt ist nichts für Leute mit übersensiblen Gehörnerven.

deren Heilige eine Madonna ist, wie überall in katholischen Gegenden; aber von schwarzer Hautfarbe, wie selten in katholischen Gegenden.

Der Treppe parallel steigen, rechts und links, zwei zu Straßen aufgemotzte Feldwege in den Hunsrück hinauf. Am Moselufer entlang führt eine schon recht stattliche Landstraße an Beilstein vorbei, von Cochem her kommend und bei Senheim wieder auf das andere Fluß-ufer wechselnd. «Hier hat sich seit der feudalen Zeit fast nichts verändert», schreibt ein Chronist. Wie in der kleinen Stadt in Sachsen? Wie in der kleinen Stadt in Sachsen.

Es hat sich natürlich einiges verändert. Ein alter Beilsteiner meint wohl gar: «Alles ist anders geworden.»

Was meint er damit?

Er meint: Durch den Fremdenverkehr verschwanden Ackerbau und Viehzucht. Moselfahrer wollen Wein trinken. Also wurde Wein auch dort angebaut, wo er leichter zu pflegen ist, aber noch schwerer gedeiht als am Klosterberg, der seinerseits kaum Anspruch darauf erheben kann, zu den besten Mosel-Lagen zu gehören.

Er meint: Die Industrialisierung ist auch in Beilstein zu spüren. Die Mosel ist kana-lisiert worden. Der Mechanisierung des Weinbaus sind Grenzen gesetzt. Die Jugend wandert ab in die Fabriken.

DIE ERZBISCHÖFLICHE RESIDENZ ZU WÜRZBURG – «Würzburg», so schreibt ein Chro-nist im Jahre 1840, «kann eine prächtige Stadt genannt werden.» Und er preist «die reiche Stadt mit ihren Münstern und Domen, eine Residenz-stadt des Katholizismus, das deutsche Bologna, wenn München unser Rom ist». Der Vergleich mit Bologna soll wohl die Bedeutung der Uni-versität herausstreichen, die, 1402 zum erstenmal und dann noch einmal 1582 gegründet, freilich keine Hochburg der Rechtswissenschaften war, sondern – fest in den Händen des Jesuitenordens – zunächst der katholischen Theologie, später der Medizin. So gut wie alles, was es hat, verdankt Würzburg der katholischen Kirche: auch die Residenz, eines der größten und schönsten Barock-schlösser (7 Höfe, 283 Gemächer), das der Fürst-bischof sich 1720 bis 1744 von Balthasar Neumann bauen ließ, als trutzige Verteidigungsbereitschaft durch einen Hang zum süßen Leben verdrängt wurde. Die Kunst des Barock kann gesehen wer-den als äußerer Ausdruck eines solchen Stim-mungsumschwungs. Die Residenz wurde von Baumeister Balthasar Neumann durch ein gran-dioses Treppenhaus geschmückt, in dem, ein weiterer Glücksfall, die Deckengemälde von einem Meister wie Tiepolo stammen. Würzburg besitzt außerdem: den Marienberg mit der Festung (bis 1720 Sitz der Bischöfe) und der besten Franken-wein-Lage («Leiste»); eine wunderschöne alte Mainbrücke mit vielen Brückenheiligen; einen Dom; und die schönsten alten Weinstuben.

Nordostturm des Bamberger Doms – Bamberger Reiter – Die Bischofs-stadt auf sieben Hügeln wird weithin sicht-bar überragt von den vier Türmen des im Auftrag Kaiser Heinrichs II. 1003 begonne-nen Dombaus. Während des Bauens wechsel-ten die Stilrichtungen; weswegen die Türme des älteren Ostteils noch gut romanisch sind, die an der Westseite dagegen deutlich goti-schen Einfluß verraten. Als «gotisch» gilt auch der «Bamberger Reiter», jene Sandstein-plastik am Nordpfeiler des Georgenchors, die in der Welt bekannter geworden ist als das ganze übrige Bamberg. Enttäuschte Be-sucher von weither suchen den Reiter lange vergebens. Obwohl lebensgroß, nimmt er sich in der Höhe des Pfeilers längst nicht so ein-drucksvoll aus wie auf Ansichtspostkarten. Zu seiner wahren Entdeckung bedurfte es der Photographie. Mit ihm wurde entdeckt eine «deutsche Gotik», die schon zweihundert Jahre vor den großen Nürnbergern weltliche Themen künstlerisch individuell gestaltete. Gerühmt wurde der «beseelte Blick» und die «sprechende Gebärde». Schon das er-scheint übertrieben. Zum einen ist die Figur durchaus stilisiert; zum andern kam diese «deutsche Gotik» unverändert aus Frank-reich. Aber die gotische Schwärmerei ging weiter. Zusammenhänge mit dem gerade im 13. Jahrhundert aufblühenden Minnesang wurden hergestellt, und aus ihm gewann man den «gotischen Menschen», den edlen, reinen, unverfälschten, kurz: den «deutschen Menschen» – so, wie er von einer deutsch-freundlichen Natur wohl gemeint war. Als weibliches Pendant zu dem Reiter, Frau Ritt-meister gewissermaßen, fand man die Uta am Dom zu Naumburg. Die gotische Ideolo-gie wuchs sich aus zu einer Art Ersatz-Natio-nalbewußtsein. Es war selbstverständlich, daß der Reiter ein fränkischer Edelmann, wahr-scheinlich ein König gewesen. Um so nieder-schmetternder war es, als ein Frevler am gotischen Glauben nachweisen zu können glaubte, der Reiter sei von einem franzö-sischen Künstler geschaffen und stelle König Stephan von Ungarn dar.

NÜRNBERG, VOM MITTELALTER HER GESEHEN:
WEINSTADEL, HENKERSTEG, SEBALDUSKIRCHE UND BURG
– Unser Nürnberg-Bild setzt sich zusammen aus immer
neuen Verwirrungen. Nürnberg war nicht die «Stadt
der Zünfte», zu der es Wagner in den *Meistersingern* em-
porstilisiert hat. Die Zünfte entstanden dort später und
hatten weniger Macht als in anderen Städten; Nürnberg
wurde von Patrizierfamilien regiert. Nürnberg eignete
sich auch nie zur kolossal-monumentalen «Stadt der
Reichsparteitage», wie Hitler, von Wagners Nürnberg-
Bild begeistert, das wollte. Nürnberg profitierte von

seiner Lage am Kreuzungspunkt zweier wichtiger Heer-
straßen und von einer offenbar recht gelungenen Bevöl-
kerungsmischung aus Bayern, Schwaben und Franken –
mag sie oder glücklicher Zufall es erklären, daß im gleichen 15. Jahrhundert drei der größten Künstler des spä-
ten Mittelalters dort geboren wurden: Veit Stoß, Peter
Vischer und Albrecht Dürer. Glücklicher Zufall aber
war sicher im Spiel, daß trotz vielen Angriffen, die letzten
im Zweiten Weltkrieg, in Nürnberg eine der bedeutendsten mittelalterlichen Wehranlagen Europas weitgehend
erhalten geblieben ist.

Er meint: Statt der Wanderer aus Eifel und Hunsrück, statt der Mosel-Paddler kommen heute die Besucher in Motorbooten und Omnibussen. In beinahe jedem zweiten Haus wurde eine Weinstube aufgemacht. Ein Pächter übernahm die Burg, brachte Leuchtgirlanden an, umzäunte sie mit Draht und verlangte Eintrittsgeld. Dann kamen die Leute vom Film, und Beilstein wurde ziemlich berühmt als Kulisse für Moselromantik.

Spurlos sind Technik und Tourismus gewiß nicht an Beilstein vorübergegangen, so wenig wie an dem Provinzstädtchen Stratford-on-Avon oder an dem Fischerdorf St-Tropez.

Aber ein Zeichen dafür, wie sich – Änderungen unterworfen wie alles in einer sich verändernden Welt – Beilstein dennoch seine Identität bewahrt hat, ist jener Mann, mein Freund, eben jener alte Beilsteiner. Er ist Jude – ein Nachfahre jener zehn, für die Johann von Braunshorn 1319 bei Kaiser Heinrich VII. um Bürgerrecht ersucht hatte. Viele seiner Vorfahren liegen oben, hinter der Burg, auf dem alten Judenfriedhof.

Und das ist doch nun wirklich eine Kontinuität, die man in Deutschland, über Hitler hinweg, schwerlich erwartet hätte.

Aber wer den Moselländern mit Rassentheorien kommt, kann sich nur lächerlich machen. Jahrhundertelang wurden dort Kelten, Franken, Römer, Juden, später Franzosen und Deutsche, durcheinandergequirlt. Und was «die da oben», «die in Trier» oder «die in Koblenz» oder gar «die in Berlin» verfügen, das interessiert in einem Moseldorf zunächst einmal gar nicht und später nur insoweit, als es nützlich ist oder man sich ihm auf keine Weise entziehen kann.

An der Mosel Juden zu verfolgen, war ganz unnütz. Das waren Winzer wie andere auch; sie lebten wie andere auch; sie gingen zur Kirche oder auch nicht – wie andere auch; sie sahen aus wie andere auch.

So ist mein Beilsteiner Freund gut durchs «Dritte Reich» gekommen, ohne daß sich jemand von Amts wegen um ihn gekümmert hätte. Nur einmal, da kamen Ss-Leute in Zivil als *agents provocateurs* auf die Terrasse seines Lokals, von der eine steile, schmale Treppe hinabführt zur Mosel. Nach dem dritten Glase fingen sie an, auf den Führer zu schimpfen und auf den Krieg, der doch bald verloren sei.

ROTHENBURG OB DER TAUBER – Gut: Rothenburg ist ein Museum – freilich eines jener Freilichtmuseen, die am Leben gehalten werden dadurch, daß 12000 Menschen in ihnen wohnen. Jeden Sommer kommen noch einmal 600000 dazu – aber sie eilen von Sehenswürdigkeit zu Sehenswürdigkeit, machen Rummel und eilen wieder davon. Die Sehenswürdigkeiten, in der Tat, sie können sich sehen lassen: die gotische Jakobskirche mit dem Zwölfbotenaltar und Tilman Riemenschneiders Heiligblutaltar, das Rathaus mit seinem Nebeneinander von Gotik und Renaissance, Franziskanerkirche, Johanniskirche, Baumeisterhaus, Spital und so weiter, und so weiter, die Stadtmauer vor allem mit ihren Türmen, Toren und Basteien. Doch solche Sehenswürdigkeiten erzeugen bei reisefreudigen Deutschland-Touristen, die nicht Kenner der Kunsthistorie sind, einen ermüdenden *Déjà-vu*-Effekt. Rothenburg aber bietet mehr: Hier kann man noch – wie sonst in dieser Deutlichkeit nirgendwo wieder – ablesen, was im Mittelalter eine deutsche Stadt hieß. Einige Gesetzmäßigkeiten dieser Stadt, an Rothenburg abgelesen: So eine Stadt würden wir heute eher Städtchen nennen; sie konnte, solange sie sich in ihren Mauern hielt, nur wenig wachsen. Immerhin war Rothenburg, damals etwa so groß wie heute, im 14. Jahrhundert größer als Nürnberg. So eine Stadt war nicht auf dem Reißbrett konstruiert, sondern paßte ihre Form soweit wie möglich den natürlichen Gegebenheiten an. Rothenburgs Form wurde durch das Taubertal bestimmt. So eine Stadt baute sich mehr oder minder konzentrisch auf um einen großen Platz, wo die geistliche Autorität ihr Haus hatte und die weltliche. Zwischen der Kirche und dem Rathaus, wo auch Gericht gehalten wurde, war der günstigste Platz für den Warentausch. Ratsherren, Kirchenbesucher und Marktleute wurden hungrig und vor allem durstig, weswegen zu den ersten Häusern am Marktplatz immer auch ein Wirtshaus gehört, und wenn es vom Hohen Rat frequentiert wird, dann nennt es sich stolz Ratskeller oder (wie in Rothenburg) Ratstrinkstube. Um die Stadt werden, sobald sie sich einigermaßen konsolidiert hat, Mauern gezogen. Außerhalb der Mauern bleiben der Henker (meist in einem Turm, wegen der allgemeinen Ächtung) und das Spital (wegen der Seuchengefahr). In Rothenburg hat man das Spital später in die um einen südlichen Anhang erweiterte Stadt einbezogen. Auf unserem Bild blicken wir vom Plönlein – touristisch noch unbelastet – links oben durch das Sieberstor, rechts unten durch das Kobolzeller Tor aus der alten Stadt heraus in die Südstadt hinein.

Darauf mein Freund, ein bärenstarker Mann: «In diesem Hause wird nicht auf den Führer geschimpft!» Er schnappte die zwei und warf sie die Treppe hinunter. Danach zog er es dann freilich vor, die drei Wochen bis zum Einmarsch der Amerikaner und Franzosen in seinem Weinberg zu verbringen.

Der Mord an Millionen von Juden ist untilgbarer Teil deutschen Schicksals und deutscher Schuld. Aber wo daraus ein «deutscher Antisemitismus» konstruiert wurde, ging man von der falschen Voraussetzung eines «deutschen Nationalcharakters» aus – den es nicht gibt, nicht geben kann, weil es keine Gruppe «die Deutschen» gibt, die lange genug durch ein kollektives Schicksal geprägt worden wäre. Nirgendwo waren Juden früher integriert als in deutschen Städten. Nirgendwo erfuhren sie mehr Toleranz als im Preußen Friedrichs II. Nirgendwo ist daher auch der Anteil von Juden am geistigen Leben, an Wissenschaft und Kunst, größer gewesen als in deutschen Ländern. Zu den glühendsten deutschen Patrioten gehörten von jeher auch Juden.

Aber es gab natürlich Antisemitismus unter Deutschen: aus religiöser Feindschaft, aus ökonomischer Abhängigkeit, aus Konkurrenzneid, als Ergebnis einer Sündenbocksuche, die immer Minoritäten trifft – wie in allen anderen Nationen auch. Und es gab Antisemitismus, als er von der Obrigkeit befohlen wurde. Zwar beteiligte sich die Bevölkerung nicht, als in der Nacht vom 9. zum 10. November 1938 Schlägerkolonnen der SA Synagogen in Brand steckten und jüdische Geschäfte demolierten – aber sie duldete es.

Auch Oswald Spengler, der die Feststellung, «daß das deutsche Volk überhaupt keinen Charakter» hat, zumindest für «vielleicht richtig» hielt, konstatierte «unser unbegrenztes Bedürfnis, zu dienen, zu folgen, irgend jemand oder irgend etwas zu verehren, treu wie ein Hund, blind daran zu glauben, allen Einwänden zum Trotz [...] Keine ‹Sache›, kein Führer, auch nicht die Karikatur davon, ist in einem anderen Lande der unbedingten Gefolgschaft so sicher: ein geheimer Schatz von ungeheurer Macht für den, der ihn zu benützen weiß.»

Das waren wahrhaft prophetische Worte, sechs Jahre vor Hitlers Machtergreifung! Aber sind sie auch wahr in einem mehr rationalen als prophetischen Sinne?

Wenn es der Druck des Schicksals, des Erlebten und Erlittenen ist, der einen Charakter,

F ORMEN EINER ALTEN REICHSSTADT: DINKELS-
BÜHL – Dinkelsbühl ist Nachbar und Konkurrent von
Rothenburg. Es liegt an der gleichen alten Heerstraße,
die von Augsburg nach Würzburg führte. Und die Formen einer alten Stadt lassen sich bei einer Aufnahme von
oben besonders klar erkennen: die Straßen, die unregel-
mäßig, den natürlichen Gegebenheiten angepaßt, um
den Markt herum und von Tor zu Tor führen. Freilich

ist der Markt in Dinkelsbühl zu kurz gekommen, und
durch späte Erweiterungen ist das Stadtzentrum an die
Peripherie gerückt. Solche entstehungsgeschichtlich er-
klärbaren Verschiebungen und Besonderheiten nehmen
Dinkelsbühl ein wenig von jenem Modellcharakter, den
Rothenburg noch hat. Dritte im Bunde dieser alten ehemaligen Reichsstädte, die alle durch Napoleon zu Anfang
des 19. Jahrhunderts an Bayern kamen, ist Nördlingen.

Aм Kocher in Fränkisch Schwäbisch Hall –
Wenn jemand die kleine Stadt, die mit vielen schönen
Fachwerkbauten aus dem 16. Jahrhundert vom Flüßchen Kocher nach beiden Seiten die Abhänge empor-
gewachsen ist, «typische Provinz» nennen wollte, dann
wäre ihm nur zu widersprechen, wenn er damit nicht
Charakterisierung, sondern Geringschätzung meinte.
Gerhard Storz hat so unrecht nicht, wenn er schreibt:
«In der Enge findet man [...] leichter zum Wesentlichen
als in einer sich verlierenden Grenzenlosigkeit, das Verlangen nach Weite entsteht in der Umgrenzung.» Gerade
in Deutschland sind die kulturformenden Kräfte meist
aus der Provinz gekommen, eine Großstadtkultur hat es

hier nur sehr vorübergehend (in München und Berlin)
gegeben. Halls lange Geschichte, zunächst fränkisch,
wurde unter Rudolf von Habsburg aus rein verwaltungs-
technischen Gründen schwäbisch. Dieser Teil des Namens
«Schwäbisch Hall» ist also irreführend. Der andere Teil
weist auf die Haupteinnahmequellen der Stadt, solange
die Salzgewinnung aus Salzwasser noch mit dem Abbau
von Salz in fester Form konkurrieren konnte. Überall,
wo man sich griechisch gibt, erscheint Salz als «hal(s)»:
Hallein, Reichenhall, Halogene. Weniger bekannt ist,
daß wir der alten Reichsstadt Schwäbisch Hall auch den
Häller oder Heller verdanken, der dort, seit etwa 1200,
zuerst geprägt wurde.

vor allem einen Kollektivcharakter formt – kann ein solcher Druck auch partiell wirken? Mit anderen Worten: Kann es deutsche Eigenschaften, deutsche Fähigkeiten, deutsche Neigungen, deutsche Laster geben, ohne daß diese addierbar wären zu oder subsumierbar unter einem «Nationalcharakter»?

Ich denke, daß es so ist. Es gibt Phänomene, vom deutschen Gehorsam bis zur deutschen Innerlichkeit, vom *furor teutonicus* bis zum jüngsten Extremismus, die anders schwer zu erklären wären.

In einem Lande, wo Germanenstämme mit den Römern zusammentrafen, wo die Machtinteressen der europäischen Dynastien sich überschnitten, wo die Weltreligion des Mittelalters auseinanderbrach, wo die Revolution der Bürger von Westen und die Revolution der Proletarier von Osten her die Gesellschaft beben ließen, wo wie einst der Limes zwischen Nord und Süd heute die Mauer zwischen Ost und West Abgründe aufreißt: da gibt es dauernd Chaos und Unordnung, da entsteht wohl eine große Sehnsucht nach Ordnung. Historischer Zufall will es, daß dieses Land sich mit dem ja ohnehin so dehn- wie schrumpfbaren, nie klar zu definierenden Begriff «Deutschland» bezeichnen läßt.

Welthistorische Perspektiven boten sich immer an für dieses Land der Mitte, das im Norden und im Süden eindeutige natürliche Grenzen nicht hatte und im Westen und Osten erst recht nicht. «Schon allein durch seine Lage ist es bestimmt, im europäischen Staatsleben entweder zu dominieren oder dominiert zu werden; ein Drittes gibt es nicht [...]» So mußte es ein Nationalist wie Julius Langbehn 1890 wohl sehen. Es bleibt zu hoffen, daß er auf die Dauer nicht recht behält. Es gilt, das Dritte zu suchen.

Jedenfalls ist seit der Schlacht im Teutoburger Wald, neun Jahre nach Christi Geburt, bis heute kein bestimmbarer, beschreibbarer deutscher Staat und keine deutsche Nation eigener Identität entstanden. Alle Versuche sind immer spätestens nach einem halben Jahrhundert ins Maßlose übersteigert und dann aufgegeben oder zerschlagen worden. Die identifizierbaren Einheiten, die jeweils aus Trümmern wieder erstanden, sind, gemessen an den enormen Dimensionen der Weltgeschichte, winzig; sie bewegen sich in der Größenordnung zwischen Beilstein und Bayern.

AM ROULETTETISCH IN BADEN-BADEN – Seit Römerzeiten haben die heißen, radioaktiven Salzwasserquellen von Baden-Baden *(Aquae Aureliae)* Heilung- und Erholungsuchende angezogen, und wie in Rom oder in Bangkok diente und dient das Bad auch immer als Deckmantel für mancherlei andere Freuden. Einen Hauch der Belle Epoque des vergangenen Jahrhunderts, da Baden-Baden ein Mittelpunkt der großen Welt internationaler Vergnügungen war, kann man noch spüren, an einem großen Abend im Spielcasino etwa, vielleicht während der Iffezheimer Woche, wenn auch die Pferderennen nach Baden-Baden locken, was es an großer Gesellschaft noch gibt. Im übrigen sind heute die Besucher der Baden-Badener Heilquellen zum großen Teil Kassenpatienten. Und das Spielcasino – es subventioniert wie die anderen Casinos Westdeutschlands arme Gemeinden und gibt ein paar reichen Spielern ein Alibi für Einnahmen, von denen das Finanzamt nichts wissen soll.

FÄCHERFÖRMIG UM DAS SCHLOSS: KARLSRUHE —
Nach dem bayrisch-fränkischen Mittelalter von Nürnberg
über Rothenburg bis Dinkelsbühl, nach der Provinz-
Idylle von Schwäbisch Hall und der verblichenen Eleganz von Baden-Baden wirkt Karlsruhe als eine moderne
Großstadt, bei der sich jemand was gedacht hat. Zwar
wird behauptet, Karl hätte dort nur seine Ruhe haben
wollen vor seiner Frau und seinen Aufpassern im Städtchen Durlach, wo er als Markgraf lebensfroh herrschte.
Zwar wird gerügt, dieses «badische Potsdam» sei doch
nur ein Abklatsch von Ludwigsburg, das seinerseits ein
Abklatsch von Versailles gewesen sei. Tatsache bleibt,
daß die von Markgraf Karl Wilhelm 1715 konzipierte
oder nachgemachte und vom Oberbaudirektor Friedrich
Weinbrenner knapp hundert Jahre später zu Ende

gedachte Anlage sich bewährt hat: ein riesiger Platz, von
dem fächerförmig Straßen auslaufen, von der Waage-
rechten des Fächerrandes aus senkrecht, also parallel,
weiterlaufend, von Nebenstraßen rechtwinklig geschnit-
ten. So ist Karlsruhe nicht eine gewachsene, sondern eine
am Reißbrett konstruierte Stadt. «Klar und lichtvoll wie
eine Regel, und wenn man in sie hineintritt, so ist es, als
ob einen ein geordneter Verstand anspräche» (Heinrich
von Kleist). Das Schema duldete Karl Wilhelms Barock
aus zweiter Hand (am Schloß abzulesen) ebenso wie
Weinbrenners Klassizismus (im Rathaus verkörpert). Es
öffnete sich aber auch modernsten Bau-Ideen und läßt
uns Karlsruhe noch heute als — neben Hannover und
Kassel — ausnehmend vernünftig geplante deutsche Stadt
erscheinen.

Neben jenen Desintegrationen welthistorischen Ausmaßes wirkt alles, was in Deutschland integer ist, klein. Das historische Deutschland mag ein Traum sein oder ein Alptraum, dämonisch oder verächtlich, Weltfeind Nummer 1 oder führende Wirtschaftsmacht Europas – das schöne, das intakte Deutschland ist provinziell: Dörfer mit ihren Gasthäusern, Städte mit ihren Toren und Domen, Fluß- und Hügellandschaften.

Seit ich in Hamburg wohne, hat sich offenbar doch schon einiger Bürgerstolz bei mir angesammelt auf eine große, mächtige, prosperierende Stadt. Ich erinnere mich jedoch noch genau, wie ich 1954 zum erstenmal nach Hamburg kam. Ich hatte bis dahin in London gelebt. Und als ich aus dem Bahnhof trat, sah ich also zum erstenmal Hamburgs *Regent Street* oder *Oxford Street,* die Mönckebergstraße: eine Kleinstadtidylle.

Dies ist ein schönes, kleines Land, das immer einmal wieder größenwahnsinnig wird, und dann ist es nicht mehr schön.

Hamburg ist ja nun nicht nur Stadt, Freie und Hansestadt wohlgemerkt, sondern auch ein Land, eines der zehn Bundesländer der Bundesrepublik Deutschland, und da es eines der

STUTTGART IM TALE – Auf dem Bopser trifft zusammen, was Stuttgart groß gemacht hat: das musische Erbe und die technische Tüftel-Leidenschaft. Stuttgarts Fernsehturm ist nicht der einzige seiner Art, aber er steht da, von weither sichtbar, als ein rechtes Wahrzeichen. Weniger sichtbar ist, daß dort oben irgendwo der Regimentsmedicus Friedrich Schiller seinen Freunden die ersten Szenen aus den *Räubern* vorgelesen hat. Er ließ sie dann auf eigene Kosten drucken: 150 Gulden, das waren für ihn reichlich acht Monatsgehälter. Später erst lernte er Cotta kennen, der durch ihn auch Goethes Verleger wurde: Damals war Stuttgart das Zentrum der deutschen Literatur... Die technische Leidenschaft der Schwaben, die aus einem rohstoffarmen Land das sauberste und krisenfesteste deutsche Industriegebiet gemacht hat, sie kam nicht von ungefähr. Schwäbischen Fleiß und schwäbischen Erwerbstrieb, die sprichwörtlich geworden sind, könnte man auch ökonomisch herleiten aus dem schwä-bischen Erbfolgerecht, das die Bauernhöfe aufteilte und unrentabel machte. Es blieb den Erben (in Schwaben wie in Schottland) gar nichts anderes übrig, als fleißig und sparsam zu sein. Dazu kam ein Glücksfall wie Ferdinand Steinbeis, seit 1848 Berater an der Stuttgarter Zentralstelle für Gewerbe und Handel. Er holte sich Fachkräfte und Maschinen aus dem Ausland, und er schickte junge Schwaben in alle Welt, damit sie dort moderne Fertigungsprozesse studieren konnten. Einer seiner Protegés war gelernter Büchsenmacher und hieß Gottlieb Daimler. Seitdem gibt es in Stuttgart Mercedes-Benz. Und auch das zweite Renommier-Auto der Deutschen, auch Porsche ist in Stuttgart zu Hause. Das trifft sich gut: denn in die renommierten Wohngegenden auf den Hängen von Stuttgart kann man nur mit einem Auto kommen. Und die Leute, die dort wohnen, können sich – je höher oben, desto sicherer – einen Mercedes oder einen Porsche leisten.

kleinsten ist, gehört es zu den drei Ländern, die am wenigsten Identifikationsschwierigkeiten haben. Danach gibt es eine zweite Gruppe der leicht ramponierten Identitäten. Zu ihr gehören wiederum drei Länder. Eines dieser Länder ist eine tollkühne Kombination zweier deutlich voneinander unterschiedener und unterscheidbarer Einheiten. Und drei Bundesländer sind reine Kunstgebilde. Ihr Mangel an Selbstverständnis entspricht, im kleinen, dem der ganzen Bundesrepublik.

Neben Hamburg nun gehört als zweites der vom Selbstverständnis (nicht von den Staatsfinanzen) her völlig intakten Bundesländer Bremen: wie Hamburg auf den schwer zu erschütternden Fundamenten einer alten, weltoffenen Hafen- und damit Handelsmetropole aufgebaut.

Aber es müssen nicht immer die Kleinen sein. Dritter im Bunde ist Bayern, der Fläche nach das größte deutsche Land. Mehr als ein Viertel der ganzen Bundesrepublik ist Bayern. Es gibt dieses Land immerhin schon seit 1180 und in seiner heutigen Form seit Anfang des neunzehnten Jahrhunderts. Warum Bayern den verschiedenen deutschen Zerreißproben besser standgehalten hat als andere Länder, muß ein weiß-blaues Geheimnis bleiben. Jeden-

Tübingen: Blick auf Stift, Neckar und Stadt – Die säuberliche Trennung zwischen protestantischem deutschem Norden und katholischem Süden wird, trotz katholischem Münster- und Emsland, am stärksten durcheinandergebracht durch das protestantische Württemberg. Zufall nur, daß der Herzog Ulrich von Württemberg 1534 durch einen hessischen Landgrafen aus dem Herrschaftsbereich der Habsburger herausgehauen wurde und daraufhin die Reformation einführte? Daß im Wintersemester 1790 drei junge Studenten der alten Universität Tübingen die gleiche Stube in eben diesem theologischen Stift bewohnten, das zur Einführung der Reformation von jenem Herzog Ulrich 1536 gegründet und seit 1547 im aufgelösten Augustinerkloster untergebracht worden war? Als diese drei: Hegel und Hölderlin sowie ihr fünf Jahre jüngerer Stubengenosse Schelling, dort studierten, hatte die Reformation freilich schon alles Befreiende verloren, war jene pietistische Variante des Protestantismus, die Württemberg prägte, längst erstarrt zu einer neuen Orthodoxie, gegen die die Studien-Stiftler den Geist Rousseaus und der Französischen Revolution mobilisierten – vergebens übrigens: Schelling endete als Apologet der Kirche, Hegel als Apologet des Staates, Hölderlin wurde wahnsinnig – und verbrachte seine langen letzten Jahre dann wiederum in Tübingen, in jenem Turm, der heute noch am Neckar steht und seinen Namen trägt. Ein stolzer Schwaben-Spruch lautet: «Der Schelling und der Hegel, der Schiller und der Hauff, das ist bei uns die Regel, das fällt uns gar nicht auf.» Es fällt nur auf, daß der Hölderlin nicht genannt wird. Weil er nicht in den Vers paßte?

Neue Burg der Hohenzollern am Rande der Schwäbischen Alb – An der Stelle der Burg auf dem Hohen Zollerberg bei Hechingen, von der aus das Geschlecht der Hohenzollern Deutschland eroberte, steht heute dieses «neugotische» Monstrum, um die Mitte des 19. Jahrhunderts im Auftrage Friedrich Wilhelms IV. errichtet. Es enthält ein Museum, wo man dem sonderbaren Zufall nachspüren kann, der dazu führte, daß eine zunächst kaum bedeutend erscheinende schwäbische Adelsfamilie am Ende die Habsburger an der Spitze Deutschlands ablösen konnte; auch: daß diese Familie immerhin zwei Männer hervorbringen konnte, denen nicht nur deutsche Historiker durch Zusätze zu ihrem Namen Größe bescheinigen: Friedrich Wilhelm, den Großen Kurfürsten (1640–1688) und genau hundert Jahre später Preußens König Friedrich II., den Großen (1740–1786). Es war ein langer Weg vom Nürnberger Burggrafen Friedrich I. (gestorben 1201) bis zum deut-

schen Kaiser Wilhelm II. (abgedankt 1918). Fünfundzwanzig Generationen lang fehlte es nie an regierungsfähigen Söhnen – Dimensionen erblicher Herrschaft, die heute kaum mehr vorstellbar sind! Freilich, als aus Preußen Deutschland werden sollte, gab es Schwierigkeiten, da jetzt die Herrschaftsansprüche der Habsburger mit denen der Hohenzollern konkurrierten. So war es nicht nur Pietät gegenüber den Ahnen, wenn Friedrich Wilhelm IV. von Preußen die Stammburg der Hohenzollern wieder aufbauen ließ. Schließlich demonstrierte diese Geste auch: Wir Hohenzollern sind keineswegs reine Norddeutsche, wir sind auch Süddeutsche und als solche wohl geeignet, die ganze Nation zu vertreten. Daß daraus nicht mehr wurde als das Zweite Deutsche Reich, ist nicht Schuld der Hohenzollern: die dynastische Ideologie hatte inzwischen aufgehört, Identitäten zu stiften. Das demokratische Zeitalter war angebrochen.

Eine alemannische Landschaft am Ober-
rhein: Die Ortenau – Kein Mensch weiß, warum
die Ortenau, die bis ins 15. Jahrhundert hinein auch
Mortenau hieß, Mortenau oder Ortenau heißt. «Au»-
Landschaften sind in einem Deutschland, das nützlich
begriffen werden kann als Addition solcher regional
geschlossener Gebilde, keine Seltenheit. Man würde
dann nach einem Gewässer suchen, das Orte(n) oder
Morte(n) heißt. Man findet keines. Geographisch ist
daher die Ortenau am besten zu bestimmen als das, was
– vom Breisgau bis Achern – in Baden zwischen dem Tal
des Rheins und den Höhen des Schwarzwalds liegt.
«Haupt-Stadt» ist Offenburg und Haupt-Attraktion «das
schönste deutsche Dorf», Sasbachwalden. Diese im
übrigen Deutschland nicht sehr bekannte Landschaft
hat zwei berühmte Söhne hervorgebracht: Hans Jakob
Christoffer von Grimmelshausen, der Schultheiß des
Ortenau-Dorfes Renchen war und den *Simplizissimus*

schrieb; Erwin von Steinbach aus Steinbach in der
Ortenau, den Baumeister des Straßburger Münsters,
das die Ortenauer Weinbauern bei klarem Wetter leicht
von ihren Weinbergen aus sehen können. Badischer
Wein ist zu einem Drittel Ortenauer Wein (Affentaler
zum Beispiel, Durbacher und Waldulmer); und für alle,
die ihn erfahren möchten, wurde die quer durch die
Ortenau führende Straße von Lahr über Offenburg nach
Baden-Baden «Badische Weinstraße» genannt. Viele
solcher mit einem Eigennamen geschmückten Straßen,
einige wirklich alt, die meisten von rühriger Touristen-
werbung geschaffen, sind empfehlenswert. Vor allem:
die Schwarzwaldhochstraße von Freudenstadt nach
Baden-Baden, die Romantische Straße von Füssen nach
Würzburg, die Alpenstraße von Berchtesgaden nach
Lindau, die Bergstraße von Darmstadt nach Heidelberg,
die Burgenstraße von Mannheim nach Nürnberg, die
Salzstraße von Lüneburg nach Lübeck…

75

falls sehe ich dabei mehr Zufall am Werk, als noch so tiefsinnige Erklärungen wegeskamotieren könnten.

Schon gar nicht überzeugen kann die These, daß Bayern als das katholischste deutsche Land auch das konservativste sei und damit das Land, das allen Veränderungen den größten Widerstand entgegensetzt. Denn das nächstkonservative deutsche Land ist das erzprotestantische Schleswig-Holstein, mit dem die Gruppe der leicht ramponierten Identitäten beginnt.

Aber der scheinbar unreflektierte Gebrauch solcher Superlative wie «katholischste» und «protestantischste» verlangt einen Exkurs zur Rolle der Religion in Deutschland.

Ihre historische Rolle kann gar nicht überschätzt werden. Wenn dieses Land als ein oft chaotisches Miteinander, Gegeneinander, Nebeneinander dauernd wechselnder Gruppierungen erscheint, so ist dieser Eindruck endgültig geworden, aber vielleicht auch erst wirklich entstanden durch die Religionskämpfe des Dreißigjährigen Krieges. Von da an gab's keine Ruhe mehr.

Welche Rolle die Religion in Deutschland heute noch spielt, ist viel mühsamer zu analysieren. Die zahlreichen Beobachter, die auf eine solche Frage schlicht antworten: «Keine», machen sich die Sache zu leicht. Andererseits täuschen Bilder deutscher Kirchen

Freiburg mit dem Münster — Das Freiburger Münster könnte zu Superlativen verführen — wenn es nicht, keine hundert Kilometer entfernt, das sehr ähnliche, aber noch prächtigere Straßburger Münster gäbe! Dennoch darf es, vor allem um seines Turmes willen, zu den schönsten Sakralbauten der Gotik (auf romanischer Basis) gezählt werden; und es gewinnt ungemein dadurch, daß der als Baumaterial sich anbietende Sandstein hier nicht graubraun, sondern rötlich gefärbt ist. Als Freiburg 1821 Erzbistum und das Münster Bischofskirche wurde, da waren seine ältesten Mauern schon sechshundert Jahre alt. Damals war die Stadt noch im Besitz des Gründergeschlechts der Zähringer. 1368 kam Freiburg an die Habsburger und blieb vierhundert Jahre österreichische Exklave. Dazwischen – 1680 bis 1744 – war es französischer ferner Osten, danach, seit 1806, deutsche Provinz. Hier wie so oft geraten Wort und Begriff «deutsch» ins Schillern. Wie deutsch Freiburg auch sein mag: es war und ist im Rahmen des Zeitgemäßen noch heute eminent katholisch. Seine Universität war fest in den Händen der Jesuiten, drei Viertel aller Studenten waren Theologen, bis das Zweite Deutsche Reich sich das Elsaß einverleibte und Freiburg damit aus seiner Isolierung im deutschen Südwesten herausgeriet. Zwar liegt Freiburg in herrlicher Landschaft zwischen Schwarzwald und Kaiserstuhl, aber daß es größere Bedeutung erst so spät gewann, ist seiner geopolitischen Lage zuzuschreiben. Freiburg blüht, wenn der Weg nach Straßburg frei ist.

SCHWARZWALD: DIE RANKMÜHLE BEI ST. MER-
GEN UND BLICK NACH SÜDEN – Von den deutschen
Mittelgebirgen ist der Schwarzwald das höchste (Feld-
berg 1493 m), das malerisch schönste und das bei Touristen beliebteste: the Black Forest! Ob die Touristen
kommen, weil Schwarzwälder Gastlichkeit unübertrof-
fen ist, oder ob im Schwarzwald diese wunderbaren
Gasthäuser erhalten und auf den letzten Stand der Bedürfnisse gebracht werden konnten, weil es sich lohnte: das
mag entscheiden, wer Ursache und Wirkung deutlich
voneinander trennen zu können glaubt. Tatsache ist,
daß von den – nach einem Konsensus unter Vielgerei-
sten – zwölf besten deutschen Hotels vier im Schwarz-

wald oder am Rande des Schwarzwalds liegen: der «Adler»
in Hinterzarten, die «Traube-Tonbach» in Baiersbronn,
«Mönchs Posthotel» in Bad Herrenalb und der «Erbprinz» in
Ettlingen. Von den restlichen acht sind fünf reine Großstadt-
hotels (die es in manchem leichter haben, weil dort auf Spesen
übernachtet werden kann): «Atlantic» und «Vier Jahreszeiten»
in Hamburg, das «Parkhotel» in Bremen, «Kempinski» in
Berlin und «Vier Jahreszeiten» in München. Die drei restlichen schließlich verteilen sich weit über die deutschen Landschaften: «Stadt Hamburg» auf Sylt, der «Fürstenhof» in
Celle und «Bachmair am See» in Rottach-Egern. Zwölf ist
eine willkürliche Zahl. Erlaubten wir noch einmal zwölf,
dann wären schon wieder sechs Schwarzwaldhotels dabei:

das just so genannte in Titisee am Titisee, «Brenners Park-hotel» in und das «Kurhotel Bühlerhöhe» bei Baden-Baden, das «Römerbad» in Badenweiler, das «Kurhotel Mitteltal» in Baiersbronn und «Spielweg» in Obermünstertal. Diese Schwarzwald-Herbergen sind wunderbar, wenn auch natürlich nicht ganz billig. Man kann es auch billiger haben – aber dann natürlich nicht mehr ganz so wunderbar. Denn die natürliche Anlage zur Gastfreundschaft im Schwarzwald – Österreichisches und Französisches verbinden sich da im Badischen aufs allergefälligste –: sie genügt ja nicht. Ein Gasthaus ist heute, ob es sich nun «Hotel» nennt oder nicht, ein sehr lohnintensiver Wirtschaftsbetrieb, dessen Kosten von Jahr zu Jahr steigen. Solange es bei ständig steigenden

finanziellen wie personellen Schwierigkeiten im «Dienstleistungsgewerbe» so etwas Schönes überhaupt noch gibt, sollten sich die Lebenden dieses Produktes jahrhundertealter Tradition und höchst verfeinerter Zivilisation freuen: des deutschen Gasthauses – gerade im Schwarzwald. Das gibt es so nicht wieder. Das wird es in fünfzig Jahren so nicht mehr geben.

DAS MEERSBURGER ALTE SCHLOSS – Man kann der Meersburg über dem Bodensee viele der Perspektiven abgewinnen, die der im Geist oder nur im Auto durch Deutschland Reisende kennt: Sie möchte gerne noch ein bißchen älter sein, als sie wahrscheinlich ist, und so nennt man ihren im 16. Jahrhundert mit den vier Staffelgiebeln verzierten Turm den Dagobertsturm nach einem Merowingerkönig des 7. Jahrhunderts. Es residierten dort die Bischöfe von Konstanz – und als sie das süße Leben dem trutzigen Streiten vorzogen, wurde aus der Burg ein Schloß. Da die Barockzeit auch an Meersburg nicht vorübergehen konnte, ohne ein (neues) Schloß zu hinterlassen, wurde aus der Meersburg das Alte Schloß. Von vielen anderen Schlössern unterscheidet es sich durch nichts so sehr wie dadurch, daß auf seinem Balkon die erste deutsche Frau stand, die alle Höhen und alle Tiefen der Emanzipation durchlebt hat, manchmal gelassen («An des Balkons Gitter lehnte ich / Und wartete, du mildes Licht, auf dich [...]»), oft verzweifelt («Ich stehe auf hohem Balkone am Turm, / Umstrichen vom schreienden Stare, / Und laß gleich einer Mänade den Sturm / Mir wühlen im flatternden Haare»). Es war für die deutsche Welt in der Mitte des 19. Jahrhunderts ein Affront, daß die westfälische Freifrau Annette von Droste-Hülshoff auf dem Alten Schloß von Meersburg einen 17 Jahre jüngeren Geliebten hielt (Levin Schücking) und leidenschaftliche Gedichte schrieb. Deutsche Schriftstellerinnen unserer Zeit, denen es leichter gemacht wird, zu leben, mit wem sie wollen, zu schreiben, was sie wollen, haben es – wenn sie sich in Meersburg zu deutschen Dichterinnen-Tagen treffen – schwer, neben dieser Frau zu bestehen. Hommage à Annette.

und Kathedralen. Von ihnen auf ein mächtiges religiöses Leben in Deutschland zu schließen, wäre ebenso verfehlt, als nähme man unseren Reichtum an Burgen und Schlössern für ein Indiz unseres Wehr-Potentials.

Es gibt einen spürbaren Unterschied zwischen dem deutschen Norden und dem davon durch die Mainlinie getrennten Süden. Und es ist der Norden stärker vom Protestantismus, der Süden stärker vom Katholizismus geprägt. Daß dies nur sehr ungefähr gilt, lehrt schon ein Blick auf die Landkarte: Da haben wir im Norden Rheinland, Emsland, Münsterland – erzkatholische Gegenden; und im Süden die Heimat des Pietismus und der großen protestantischen Denker: Württemberg.

Tischgebet und sonntäglicher Kirchenbesuch sind selten geworden in deutschen Landen. Und doch: Die meisten lassen ihre Kinder taufen, konfirmieren, ihre Eltern christlich beerdigen, und drei von vier Deutschen zahlen ohne allzu hörbares Murren eine ziemlich hohe und vom Staat zwangsweise eingetriebene Kirchensteuer – von der sie jederzeit befreit werden könnten, wenn sie aus der Kirche austräten.

Das habe mit Glauben nichts mehr zu tun, nur noch mit verkrampftem Aufrechterhalten althergebrachter Formen und allenfalls dem kläglichen Versuch einer Rückversicherung fürs Jenseits?

Daran ist gewiß vieles wahr. Aber das verschiebt die Frage doch nur: Warum halten die Leute, auch solche, die «progressiv» sein wollen, fest an althergebrachten Formen? Wieso sehen sie eine Möglichkeit der «Rückversicherung»?

Das sind Fragen, die auch die Kirchen nicht beantworten können (ich habe sie ihren Würdenträgern oft genug gestellt). Festzuhalten bleibt: Die Kirchen sind leer von Gläubigen – aber wo sie schön sind, sind sie in der wärmeren Jahreszeit voll von Touristen, die immer wieder auch (kuriositäts- oder vorsichtshalber?) eine geweihte Kerze anzünden. Im deutschen Religionsunterricht wird über Buddhismus oder antiautoritäre Erziehung mehr gesprochen als über Gott Vater, Sohn und Heiliger Geist – aber fast alle Schulen bieten christlichen Religionsunterricht an, und die meisten Kinder nehmen daran teil.

Vermutlich ist das religiöse Bedürfnis hierzulande weder stärker noch schwächer ent-

wickelt als anderswo. Nur: Die gleiche Religion, die in Ländern wie Italien und Spanien, in England und Skandinavien mithalf bei der Formung nationaler Identitäten, bewirkte in den deutschen Ländern genau das Gegenteil: deutsch-protestantisch und deutsch-katholisch wurden ebenso unversöhnliche Gegensätze wie späterhin deutsch-kommunistisch und deutsch-liberal.

Heute kann von unversöhnlichen religiösen Gegensätzen gewiß keine Rede mehr sein. Aber die Folgen der Reformation und Gegenreformation, des Dreißigjährigen Krieges sind noch immer allenthalben spürbar.

Für Denker und Täter, für Intellektuelle und Politiker waren die Kirchen, da sie im Plural als Integrationsfaktoren ausfielen, keine Hilfe. Wer im deutschen Diesseits etwas bewirken wollte, konnte sich nicht an einer Religion orientieren, die in zwei Lager zerfallen war: denn er brauchte ja beide Lager. So verlor die Religion, so verloren die Kirchen ihre gesellschaftlich integrierende Bedeutung in Deutschland. Sie sind geblieben als Seelentrost der Glaubensbedürftigen; sie sind geblieben als Träger einer vergangenen Kultur; sie sind geblieben wegen ihrer oft bewunderungswürdigen karitativen Leistungen; sie sind geblieben als Ornamente und Alibi einer auf «Pluralismus» eingeschworenen Staatsverfassung.

AUGSBURG: RATHAUS UND MARIA STERN – Das überaus kostbare Rathaus des Elias Holl (1615–1620) wie das Kloster St.-Maria-Stern, wo zum erstenmal das Wahrzeichen des Zwiebelturmes auftaucht (1574), sagen dem Kundigen: Wir sind in der Hauptstadt des Kapitalismus, in der Stadt der Fuggers und Welsers. Eine kleine Gedenktafel, angebracht von einer Buchhändlerin, einem Graphiker und einem Franzosen, erinnert weniger auffällig daran, daß am 10. Februar 1898 im Hause Auf dem Rain Nr. 7 auch der wortgewaltigste Gegner des Kapitalismus in Augsburg geboren wurde: Bertolt Brecht. Einhundertfünfzig Jahre lang (von 1480 etwa bis 1630) beherrschte das Geld der Augsburger Kaufherren Deutschland und einen großen Teil der Welt. Es wurde ausgeliehen an Päpste und Kaiser und investiert in alles, was Gewinn versprach. Drei Erkenntnisse wurden in Augsburg nicht erarbeitet, aber es wurde konsequent damit gearbeitet: Eine honorige Geldversprechung ist so gut wie Gold – und mit weniger Aufwand, auch weniger Risiko verschickbar (die Italiener hatten das gelehrt); Geld kennt keine Grenzen, sondern es hat überall in der Welt seinen errechenbaren Wert; Geld produziert Geld, wenn man es richtig anlegt und den Theologen klarmacht, dies habe mit (den Christen verbotenem) Wucher nichts zu tun. Damals waren diese frühkapitalistischen Erkenntnisse ganz neu. Und auch Kritiker gab es schon damals. Ulrich von Hutten nannte diese frühkapitalistischen Spekulationen verächtlich «Fuggerei». In Augsburg jedoch bedeutet Fuggerei – unsere scheinbar aktuellen Kontroversen sind mindestens fünfhundert Jahre alt – eines der ersten und großzügigsten Unternehmen des sozialen Wohnungsbaus.

Im protestantischen Preußen wie im katholischen Bayern hatte die Kirche noch ihren festen Platz, definiert durch die Formel von «Thron und Altar», deren Inhalt freilich schon ziemlich ausgehöhlt war, als Krieg und Revolution sie 1918 hinwegwischten.

Geblieben ist freilich auch eine stärkere Orientierung der süddeutschen Länder nach dem Süden und nach Frankreich hin, der norddeutschen Länder nach dem Norden und nach England. Wer in München ist, ist schon halb in Rom; wer nach Hamburg fährt, fährt schon halb nach London.

Erzprotestantischer Norden also ist Schleswig-Holstein, das ja noch mitten im Stadtgebiet von Hamburg anfängt. Leicht ramponiert wurde Schleswig-Holsteins durch Christian I. 1460 proklamierte, wenn auch nicht garantierte Identität – «up ewig ungedeelt» – dadurch, daß es 1864 von Preußen «befreit» und 1866 zu Preußen geschlagen, daß es preußische Provinz wurde. Schließlich mußte sich das Land noch die alte Hansestadt Lübeck einverleiben, ein erratischer Block von eigener Homogenität, der nicht so leicht zu verdauen ist. Stadtstolzen Lübeckern fällt es schwer, eine Landeshauptstadt Kiel zu respektieren.

Für den hanseatischen Hamburger ist Schleswig-Holstein «Hamburg Nord plus Erholungsgebiet Seeküsten». Ähnlich ließe sich Niedersachsen, das zweite Land dieser Gruppe, bezeichnen als «Hamburg Süd plus Erholungsgebiete Harz und Lüneburger Heide».

Donaudurchbruch bei Weltenburg – Der Donaudurchbruch zwischen Weltenburg und Kehlheim schafft eine für Deutschland ganz ungewöhnliche Flußlandschaft. So wie die Donau eben überhaupt ein für Deutschland sehr wenig typischer Strom ist: der einzige, der nach Osten fließt. Nicht ihr gilt Hölderlins Hymne, in der es vom «Vaterland» heißt: «An deinen Strömen ging ich und dachte dich / Indes die Töne schüchtern die Nachtigall / Auf schwanker Weide sang, und still auf / Dämmerndem Grunde die Welle weilte.» Hölderlin mag an den Neckar gedacht haben; aber auch an den Main, von dem Kleist fast gleichzeitig schrieb: «Wenn ich jetzt auf der steinernen Mainbrücke stehe [...] und den gleitenden Strom betrachte, der durch Berge und Auen in tausend Krümmungen heran strömt und unter meinen Füßen weg fließt, so ist es mir, als ob ich über ein Leben erhaben stünde.» Auen, Hügel, viele Windungen: das sind die Attribute des Flußtals, das ein so auffälliger, immer wieder auch in Vers und Prosa beschworener Teil der deutschen Landschaft ist. Neben den Tälern des Mains und des Neckars kommen solchen Vorstellungen am nächsten die der Ahr, der Mosel, der Saar, der Nahe, der Lahn, der Altmühl, der Werra und der Fulda. Die Ströme Ems und Weser, vor allem Rhein und Elbe haben schon eine eigenere, individuellere Note. Und vollends die Donau: statt sich um den Jura herumzuwinden, sägt sie sich wie hier (und vorher schon bei Beuron) mitten durch die Kreidefelsen.

DIE FÜRSTENHOCHZEIT VON LANDSHUT — Vor der historischen Kulisse mittelalterlicher Städte und Burgen werden überall in Deutschland noch gerne historische Ereignisse nachgespielt, weil es den Leuten Spaß macht und weil es dem Fremdenverkehr hilft. So findet in Altenburg immer einmal wieder die Entführung des Kunz von Kaufungen statt. So wird in Rothenburg immer von neuem der riesige Humpen geleert in der Nachfolge jenes Bürgermeisters, der durch solchen «Meistertrunk» die Stadt vor Tillys Plünderung bewahrt haben soll. So wird die Erinnerung wachgehalten an den Kinderfeldzug von Dinkelsbühl wie an den Rattenfänger von Hameln. «Das größte historische Fest in Deutschland» ist nach Angaben des zuständigen Verkehrsvereins die «Landshuter Fürstenhochzeit», die alle drei Jahre vor der Kulisse dieser altbayrischen Residenzstadt mit der Burg Trausnitz und dem Münster St. Martin gefeiert wird zur Erinnerung an die glanzvolle Hochzeit, die Herzog Ludwig der Reiche im Jahre 1475 seinem Sohn Georg dort ausgerichtet hat. Die Braut hieß Jadwiga und war die Tochter des Königs Casimir von Polen. Zu Gast war alles, was damals in deutschen Landen Rang und Namen hatte, darunter auch Kaiser Friedrich III. Davon, daß Bayern und Polen durch diese Hochzeit einander auf Dauer nähergekommen wären, weiß die Geschichte allerdings nichts.

Gegen eine solche Beschreibung würden sich die Niedersachsen mit noch größerem Recht wehren als die Schleswig-Holsteiner. Schließlich haben sie auch selber eine der zehn größten deutschen Städte, Hannover, mit Schlaf- und Freizeitraum zu versorgen.

Das ist ja das Schema, nach dem sich die größten und anziehungskräftigsten deutschen Großstädte im Zeitalter rapider Technisierung und Kommerzialisierung entwickelt haben: Sie zogen Arbeitskräfte aus der Umgebung, aber auch von weither an sich. Ihre Einwohnerzahl stieg. Es stiegen dadurch auch die Bodenpreise und mit ihnen die Wohnungspreise. Normalverdiener konnten nicht konkurrieren mit Wirtschaftsunternehmen, die zentral gelegene Büroräume brauchten, und wurden aus der Innenstadt vertrieben an den Rand und, da auch dessen Aufnahmefähigkeit beschränkt ist, über den Rand hinaus. So entwickelten sich vor den Toren dieser Großstädte die «Schlafstädte».

Gleichzeitig wurde der Verkehr immer undurchdringlicher, die Luft immer stickiger, Hektik und Lärm immer unerträglicher, kurz: das Bedürfnis, dem allen zu entfliehen, am Wochenende oder an einem freien Nachmittag, immer größer. So begaben sich die Großstädter auf die Suche nach Erholungsraum und fanden ihn in den industriefreien oder industrieärmeren Gebieten – wozu große Teile des westlichen Niedersachsen gehören.

Aus dem östlichen Niedersachsen ist nur die «Freie Republik Wendland» bekanntgeworden, die von Kernkraftgegnern bei Gorleben gegründet und dann von der Polizei entvölkert wurde. Ostfriesland und das Emsland sind noch unentdeckt. Ihre karge Schönheit, Wasser, Moor, Heide und Mischwälder, die nicht sehr üppig gedeihen auf zu feuchtem Grund, kann niemanden begeistern, der sich auf Urlaubsreisen mediterrane Maßstäbe für landschaftliche Schönheit erworben hat.

Nennen Sie mir drei Städte im östlichen Niedersachsen. Von zehn Deutschen außerhalb Niedersachsens vermag das nur einer. Und die meisten haben von Ostfriesland zum ersten Male gehört, als ihnen erzählt wurde, daß die Mädchen dort Kopftücher tragen, damit man sie von den Kühen unterscheiden kann – als die Westdeutschen auf Kosten der Ostfriesen ihre Witze machten statt, wie bis dahin, auf Kosten der Sachsen.

Was heute Niedersachsen heißt, besteht aus vier ehemaligen Feudalstaaten: dem Königreich Hannover, dem Großherzogtum Oldenburg, dem Herzogtum Braunschweig

PASSAU, AM INN – In einer Idealkonkurrenz
um die schönste deutsche Stadt gaben von 1000 Befrag-
ten 72 den ersten Platz an Passau. Am Ende waren dies
die zehn Sieger: 1. Rothenburg, 2. Dresden, 3. Passau,
4. Lübeck, 5. Nürnberg, 6. Bamberg, 7. Meißen, 8. Lüneburg, 9. Dinkelsbühl, 10. München. Passau ist ziemlich
stilrein – aber nicht stilecht. Es ist eine der ältesten, eine
der ersten von Bonifatius christianisierten Städte, und
sieht doch aus, als sei es im 18. Jahrhundert gebaut: alles
Schöne in der Stadt ist barock. Das Passau von heute
wurde nämlich im 18. Jahrhundert gebaut – nachdem es
im 17. zweimal völlig niedergebrannt war. Eine sehr
schöne und sehr typische Eigentümlichkeit deutscher
Städte hat Passau freilich noch reichlicher als andere. Es

gibt keine nennenswerte deutsche Stadt, die nicht an
einem Fluß (Gewässer) läge – ob dieser Fluß das Stadtbild nun so eindeutig bestimmt, wie es die Elbe für
Dresden, der Main für Würzburg, der Neckar für Heidelberg tut; oder ob er sich eher schüchtern verkriecht wie
die Spree in Berlin, die Pleiße in Leipzig und die Pegnitz
in Nürnberg. Viele deutsche Städte liegen auch an zwei
Flüssen, und ihr Stadtbild wird dadurch bestimmt:
Koblenz an Mosel und Rhein, Hamburg an Elbe und
Alster, Küstrin an Warthe und Oder. Passau aber liegt
so deutlich an und zwischen drei Flüssen wie sonst keine
andere deutsche Stadt: von Süden mündet dort der Inn,
von Norden die Ilz in die Donau.

KLOSTER METTEN, BIBLIOTHEK – Eine Bibliothek wie die der Benediktinerabtei Metten, am Fuße des Bayerischen Waldes gelegen, ist hübsch genug anzusehen mit ihren herkulischen Gewölbeträgern und ihren reichen Barock-Stukkaturen. Sie erfreuen das Herz. Freilich kann es auch traurig stimmen, wie so etwas so vor sich hinprunkt, nur um von flüchtigen Besuchern bestaunt und bald wieder vergessen zu werden – während unsere großen Bibliotheken notorisch unterdotiert und meist nicht einmal funktional ausreichend gebaut sind. Nennen wir «große Bibliotheken» solche mit mehr als einer Million Büchern: Berlin, Göttingen, Greifswald, Halle, Jena, Köln, Leipzig, Marburg, München, Rostock; «große Bibliotheken» mit mehr als zehntausend Handschriften gibt es in: Dresden, Hamburg, Marburg, München, Stuttgart. Die scheinbar banausische Alternative, die sich da stellt – Architektur oder Bücher, Gefäß oder Inhalt –, führt zu sehr realen Konfrontationen in den Haushalten: Alles zu pflegen, reicht das Geld schlechterdings nicht aus. Die rein pragmatische Betrachtungsweise – eine Bibliothek weist sich aus durch ihre Bücher – mag zu nüchtern sein. Hat aber die rein ästhetische Betrachtungsweise – bei einer so schönen Barockbibliothek kommt es auf die Bücher nicht an – wirklich mehr für sich? Sie scheint mir Ausdruck eines musealen Kulturbegriffs, den wir uns nicht mehr lange leisten können.

SPIEGELSAAL IM SCHLOSS HERRENCHIEMSEE – Seinen vermutlich prunkvollsten Saal verdankt Deutschland einem offensichtlich geisteskranken Mann. König Ludwig II. von Bayern (1864–1886) wollte seinen Großvater Ludwig I., der München wieder zur Kunststadt gemacht hatte, womöglich noch übertreffen. Er holte Richard Wagner nach München. Dann fing er an, Schlösser zu bauen. Auf der Herreninsel im Chiemsee wollte er Sonnenkönig spielen und sich sein Versailles errichten. Der Bau wurde 1878 nach Plänen von Georg Dollmann begonnen. 1881 übernahm Julius Hofmann die Bauleitung und die Innenausstattung. Während auf einer Insel im Chiemsee versteckt größenwahnsinnige Pracht vor sich hinglitzerte, wuchsen die Schulden des Königs derart, daß er Handwerker und Lieferanten nicht mehr bezahlen konnte. Am Ende gaben auch die königstreuesten auf, alle Bautätigkeit mußte eingestellt werden. Das Neue Schloß, ein dreigeschossiges Gebäude in Hufeisenform, blieb unvollendet; die Gartenanlage auch. Der Traum von Versailles blieb in den Lüstern des Spiegelsaales und in der gerade noch fertiggestellten Gartenfassade hängen.

DAS CUVILLIÉS-THEATER IN MÜNCHEN – Der Hofzwerg
François Cuvilliés avancierte zum kurfürstlich bayrischen Hofbaumeister und ist als Großbaumeister des bayrischen Rokoko in die
Kunstgeschichte eingegangen. Er schuf die «Reichen Zimmer» der
Residenz, das Schlößchen Amalienburg und das heute nach ihm benannte Theater. Das Alte Residenztheater, wie es ursprünglich hieß,
1751 bis 1753 erbaut, war 1781 Schauplatz der Weltpremiere für
Mozarts *Idomeneo*. Es bedeutet in seiner zierlichen Pracht nicht nur
einen Höhepunkt im Schaffen Cuvilliés', es ist das schönste Rokokotheater, das – durch Auslagerung über den Krieg und die Zerstörung
der Residenz hinweggerettet – bis heute erhalten geblieben ist.

und dem Fürstentum Schaumburg-Lippe, die alle – wie Schleswig-Holstein – 1866 preußische Provinz geworden waren. Ein Land Niedersachsen hat es vor 1946 nie gegeben. Aber es gab eine Tradition der Welfen, Nachfahren Heinrichs des Löwen, die in Braunschweig und Hannover regiert hatten. Diese Tradition wurde denn auch herangezogen zur Neubegründung eines niedersächsischen Landesbewußtseins.

Ein Land Hessen – drittes und letztes in der Gruppe der Bundesländer mit leicht ramponierter Identität – gab es schon einmal: im 16. Jahrhundert, unter Philipp dem Großmütigen. Es war beinahe identisch mit dem heutigen Lande Hessen, dem nur, durch eine Tücke der Besatzungs-Geographie, der Regierungsbezirk Montabaur abhanden gekommen ist. Er war nach dem Zweiten Weltkrieg in die französische Zone geraten; Hessen jedoch konnte damals nur werden, was in der amerikanischen Zone lag. Und einem allgemeinen Trägheitsgesetz folgend, ist es dabei geblieben, auch nachdem keine Besatzungsmacht mehr

München: Blick auf Frauenkirche und Rathaus – Oktoberfest – Journalisten prägten die Formel, und nun nennt sich München gerne «Weltstadt mit Herz». Auch darin unterscheidet es sich von der anderen deutschen Weltstadt, von Hamburg, der man eher kühle Reserviertheit als Herzlichkeit nachsagt. In der Tat sind größere Unterschiede in einem kleinen Lande kaum denkbar als die zwischen den beiden deutschen Weltstädten. Jene im Norden: protestantisch, den Meeren zugewandt, «englisch» gewissermaßen, stadtstolz, bürgerlich, vom Nebel immer wieder bedroht, kurz: niederdeutsch-hanseatisch; diese im Süden: katholisch, den Bergen zugewandt, «römisch» gewissermaßen, landoffen, feudal, vom Föhn immer wieder bedroht, kurz: oberdeutschbayrisch. Die Hauptstadt der drei B's ist München: die Hauptstadt Bayerns, die Hauptstadt der Bewegung und die Hauptstadt des Bieres. Der gleiche Welfen-Heinrich, der Löwe genannt, der Hamburg den Weg frei machte, indem er Bardowick zerstörte, half München auf den Weg, indem er es gründete: *vestigia leonis* hier wie dort. Und so wahr es ist, daß München immer anders war als Bayern, so wie eine Großstadt eben anders ist als das Land, so wahr ist doch auch, daß Bayern ohne München so wenig vorstellbar wäre wie München ohne Bayern. Was die Hauptstadt der Bewegung anlangt, so darf des Sängers Höflichkeit nach so vielen Jahren schweigen: aber in Hamburg hätte die Hitlerei kaum ausbrechen können. Schließlich wird auch in Hamburg Bier gebraut und getrunken. Aber die Hauptstadt des Bieres ist, von Dortmund hart bedrängt, dennoch unweigerlich München. Das von den Ludwigen und ihren feudalen Nutznießern leicht demolierte Demokratieverständnis wird Tag für Tag und Nacht für Nacht repariert durch Bier. Wahre Orgien der Demokratisierung im Zeichen des Bieres werden, auch und besonders gerne mit Ausländern, gefeiert im Hofbräuhaus und auf dem Oktoberfest. Und am Ende hat König Ludwig I. doch recht behalten. Er versprach, «aus München eine Stadt [zu] machen, die Deutschland so zur Ehre gereichen soll, daß keiner Deutschland kennt, wenn er nicht auch München gesehen hat».

MÜNCHEN: PARK VON SCHLOSS NYMPHENBURG –
Daß ausgerechnet die verschwenderischsten Schöpfungen
eines Feudalzeitalters in unserer modernsten aller Welten
eine wichtige Funktion übernehmen, paßt nicht ganz in
ideologische Gebetsbücher. Tatsache ist: Die Japaner
können den Kaiserpalast und seine Gärten, die Engländer
den Hyde Park, die Bayern Schloß Nymphenburg und
Umgebung nicht mehr abschaffen. Was früher einmal dem
Größenwahn der Herrschenden entsprungen sein mag,
ist heute unentbehrlich geworden als Lunge der Großstadt – im Besitz des Staates. Städte, die über solche
Schätze, solche Grün-Anlagen verfügen, waren irgend-
wann einmal reiche Städte – keine reicher als das München
der Wittelsbacher, die Hauptstadt des ältesten deutschen

Bundeslandes Bayern. Gegen alle zentrifugalen Tenden-
zen ganz «undeutsch» zäh, bewahrte dieses Land seine
Identität, seit 1180 die Wittelsbacher dort die Herrschaft
übernommen hatten. Wiederholt wurde es geteilt, Landshut machte sich selbständig, auch Straubing und Ingol-
stadt: aber immer wieder fand es zusammen. Durch die
lutherische Reformation, die so vieles auseinanderriß,
wurde Bayern eher geeint: im Geist der Gegenreformation. Die bayrische Linie der Wittelsbacher erlosch 1777.
Aber erst, als am 8. November 1918 der Freistaat Bayern
proklamiert wurde, hörte eine Nebenlinie der Wittelsbacher auf, in Bayern zu regieren – ein stolzes Geschlecht,
den Habsburgern von Österreich und den Hohenzollern
von Preußen fast ebenbürtig.

die Bundesregierung daran gehindert hätte, die Länder des westdeutschen Bundesstaates neu zu gliedern – wie es in der Verfassung ausdrücklich vorgesehen ist.

So stark war das Selbstbewußtsein der Länder nun wieder auch nicht, daß es in den Kreisen St. Goarshausen, Unterlahn, Unterwesterwald und Oberwesterwald, die den Regierungsbezirk Montabaur ausmachen, zu einer mächtigen Bewegung «Heim ins Hessenland» gekommen wäre.

Korrigiert wurde die Besatzungs-Geographie durch Volksabstimmung vom 8. Dezember 1951 im Südwesten. Dort waren, weil wiederum Amerikaner und Franzosen ihre Zonen intakt halten wollten, drei sonderbare Kunstgebilde entstanden: die Länder Baden, Württemberg-Baden und Württemberg-Hohenzollern. Sie wurden nun alle vereinigt zum Lande Baden-Württemberg; wobei der Bindestrich nicht ganz hinwegtäuschen kann über spürbare Unterschiede, die mit der Religion zusammenhängen mögen (Württemberg war früh ein protestantisches Stammland geworden, Baden blieb, vor allem im Süden, katholisch) oder mit der geographischen Lage. Obwohl das Königreich Württemberg wie das Großherzogtum Baden seine Existenz letztlich Napoleon verdankt, haben sich die Badener immer stärker an Frankreich orientiert. Den Württembergern sagt man nach, sie seien die fleißigsten Deutschen; während von den Badenern behauptet wird, sie wüßten das Leben zu genießen.

Die mancherlei Antagonismen zwischen den beiden Landesteilen reichten freilich nicht aus, dem Wunsch vieler «Altbadener», an Stelle des Bindestriches zwischen Baden und Württemberg wieder eine klare Trennungslinie zu ziehen, eine demokratische Mehrheit zu gewinnen. Dennoch wird, wo nach dem Selbstverständnis gefragt wird, ein Stuttgarter sich als Württemberger oder als Schwabe, ein Freiburger sich als Badener bezeichnen. «Ich bin Baden-Württemberger» – das habe ich noch nie gehört.

Noch komischer klänge freilich «Ich bin Rheinland-Pfälzer» oder «Ich bin Nordrhein-Westfale». Womit wir bei zwei der drei Nachkriegs-Artefakte wären, die auch die Identität der westdeutschen Bundesländer fragwürdig werden lassen.

Denn schließlich hat Nordrhein-Westfalen mehr Einwohner als irgendein anderes

Die Kirche in der Wies – Die Kloster-kirche von Ottobeuren – Das deutsche Barock, so schrieb der Kunsthistoriker Wilhelm Pinder, habe dem Volk die Möglichkeit gegeben, «nach einer Zeit schwerster Lähmung wieder in Schwingung zu gelangen». Die Grenzen zwischen Architektur und Malerei verwischen sich, alles löst sich auf in Bewegung. Und wie die Kategorien der Kunst, so werden auch die Funktionen überspielt: das Fest wird zum Gottesdienst, der Gottesdienst zum Fest. Zwei Generationen, zwischen 1650 und 1690 geboren, genügten, um im schwäbisch-fränkischen sowie im bayrisch-österreichischen Raum den neuen Stil zu etablieren und in all seinen Möglichkeiten auszuschöpfen. Johann Michael Fischer und Dominikus Zimmermann, die beide der zweiten Generation angehören, haben ihn, jeder auf seine Weise, zur Vollendung getrieben: der eine in der Benediktinerabtei von Ottobeuren (1766 voll-endet), der andere in der Wallfahrtskirche «die Wies». Fischers Bau ist ein ebenso ausgewogenes wie spannungsreiches Werk, dessen Kraft sich vom Eingang her Stufe um Stufe zu steigern scheint, um dann in der Vierung sich zu ballen und im Hochaltar die höchste Konzentration zu erreichen. Die von Dominikus Zimmermann 1745 bis 1754 erbaute Wallfahrtskirche, bei Steingaden im Allgäu gelegen, ist schon rein äußerlich ein Antipode zu Ottobeuren: ein leichter und anmutiger Bau zwischen grünen Wiesen. Leichtigkeit und Heiterkeit bestimmen auch den Innenraum. Zimmermann war nicht so sehr Architekt wie Stukkateur und Maler, empfänglich für das Wechselspiel von Licht und Schatten, für die Valeurs der Farben. Die Harmonie der einzelnen Elemente schafft hier jene Totalität, die Fischer in Ottobeuren durch Konzentration erreichte. Gelöste Heiterkeit ist hier, majestätische Kraft dort der Haupteindruck.

Wagners «Tristan» im Festspielhaus Bayreuth — In Bayreuth, am Roten Main zwischen Fränkischer Alb und Fichtelgebirge, lebte Richard Wagner von 1872 bis 1883, und seit 1883 werden im eigens dafür errichteten Haus die Bayreuther Festspiele veranstaltet. Es gibt, auch außerhalb Deutschlands, keine anderen Festspiele vergleichbaren Ausmaßes, die sich ganz auf das Werk eines einzigen Mannes konzentrieren. Bayreuth ist daher für Freunde von Wagners Musik ein Mekka. Jahr für Jahr pilgern Tausende aus aller Welt auf den Festspiel-Hügel und zum Wagner-Haus Wahnfried, um sich an der romantischen Städteherrlichkeit der *Meistersinger* oder der erotischen Leidenschaftlichkeit des *Tristan* zu berauschen. Bayreuth ist umstritten, wie die Oper überhaupt als aufwendige, gesellschaftlich unverbindliche Kultur-Repräsentation umstritten ist – und weil vielen jenes anspruchsvoll mythische Pathos verdächtig geworden, das der Wagner-Bewunderer Hitler nicht zufällig aus dieser Musik herausgehört hat. Ein Glücksfall für das Bayreuth der Nachkriegsepoche war es, daß Wieland Wagner, ein seinem Großvater kongenialer Regisseur, das gewaltige Opernwerk noch einmal neu, von szenischem Pomp gereinigt, auf der Festspielbühne erstehen ließ.

SCHLOSS NEUSCHWANSTEIN – BERGPANORAMA
MIT WATZMANN – Wo der Lech aus den nördlichen Kalk-
alpen austritt, auf einem steilen Felsrücken über dem Alp-
see, liegt bei Füssen im Allgäu das romantische Mittelalter, wie Ludwig II. von Bayern es sich im 19. Jahrhundert vorstellte. Seine Vorstellungen erfreuen sich noch
immer großer Popularität. Das Schloß ist Inkarnation
einer Sehnsucht – und Parodie zugleich; ausgedacht von
einem, der gerne von Burgen und vergangenen Zeiten
träumte. Es wurde «im altdeutschen Style» entworfen
von dem Münchner Theatermaler Christian Jank. Die
Wartburg, Burgen am Rhein und die Pfalzen der Staufer-
zeit dienten ihm als Vorlagen. Siebzehn Jahre wurde daran
gebaut; fünf Jahre brauchte man allein für die Wohn-
räume und Festsäle, für die Eichenholzvertäfelungen,

Kassettendecken und Wandbilder mit Szenen aus der mittelalterlichen Dichtung. König Ludwig, der sich hier ein
Refugium in der Vergangenheit schaffen wollte, verbrachte insgesamt 102 Tage auf Neuschwanstein. Hier
wurde ihm, am 10. Juni 1886, seine Entmündigung von
einer Staatskommission mitgeteilt. Von hier aus wurde
er nach Schloß Berg gebracht. Am 13. Juni starb er einen
legendenumwobenen Tod im Starnberger See. «Der
Punkt ist einer der schönsten, die zu finden sind, heilig
und unnahbar», schrieb Ludwig II. an Richard Wagner
über Neuschwanstein. Heiliger vielleicht, weniger unnahbar, aber gewiß schöner ist (auf der nächsten Seite)
die kleine Kapelle Maria Gern vor dem Watzmann-Mas-
siv – eine typisch oberbayrische Landschaft, die keines
Kommentars bedarf.

Bundesland. Dafür hat es weniger Eigenständigkeit. Schon die beiden preußischen Verwaltungsprovinzen, aus denen es zusammengesetzt wurde – Rheinland und Westfalen –, waren keine leicht identifizierbaren Einheiten. Dann wurde die südliche Rheinprovinz noch abgetrennt (daher «Nordrhein-»), und es kam dafür das alte Fürstentum Lippe-Detmold dazu. Jetzt ist Nordrhein-Westfalen am ehesten ökonomisch zu definieren, und ökonomisch wurde es seinerzeit von der britischen Besatzungsmacht auch konzipiert: Ruhrgebiet und Hinterland.

Im südlichsten Zipfel dieses Hinterlandes liegt, seit Konrad Adenauer das wollte, die Bundeshauptstadt Bonn, von der noch zu reden sein wird. Durch Eingemeindung der umliegenden Dörfer ist daraus zwar eine richtige kleine Großstadt von mehr als 300000 Einwohnern geworden, aber alle weiteren Wachstumstendenzen werden gebremst durch die geographische Lage. Die Höhenzüge zu beiden Seiten des Rheins, im Osten und Westen, weisen das Expansionsstreben in die Nord-Süd-Richtung. Von Norden jedoch wächst Bonn die drittgrößte Stadt Westdeutschlands, Köln, entgegen; und nach Süden geht es nicht mehr weiter – denn dort hört Nordrhein-Westfalen auf, und es beginnt Rheinland-Pfalz.

Das ist nun wohl das künstlichste deutsche Land, am 30. August 1946 durch Verordnung der französischen Militärregierung gebildet aus dem südlichen Teil der Rheinprovinz, Rheinhessen (Hessen-Darmstadt), Hessen-Nassau und der Bayrischen Pfalz.

Um es aber noch komplizierter zu machen, wurden ein Stück der Rheinprovinz und ein Teil der Bayrischen Pfalz wieder abgezwackt und als autonomes Gebiet Saarland 1950 wirtschaftlich an Frankreich angeschlossen.

Das hatten wir ja 1918 schon einmal. Lothringisches Erz und saarländische Kohle gehören zusammen. Als die Deutschen 1871 einen Krieg gewonnen hatten, annektierten sie deswegen gleich ganz Elsaß-Lothringen. Als die Franzosen 1918 und 1945 einen Krieg gewonnen hatten, waren sie wesentlich maßvoller. Sie unterstellten sich das viel kleinere Saargebiet – und gaben es zweimal später wieder frei: das zweite Mal am 1. Januar 1957.

Aber daraufhin wurde das Saarland nun nicht, wie vorher, ein Teil von Rheinland-Pfalz, sondern es wurde ein Mini-Bundesland für sich selber.

Deutschland läßt sich nicht rekonstruieren als, gewissermaßen, die Summe aus der DDR und der Bundesrepublik – weil solche Summen, die praktisch nicht gezogen werden können, politisch unsinnig sind und die Suche nach nationaler Identität nicht fördern.

Eher schon ließe sich die Bundesrepublik Westdeutschland definieren als die Summe aus zehn Bundesländern (wenn wir von Westberlin zunächst einmal absehen). Aber auch diese Rechnung stimmte nur für rein statistische Angaben: Bodenfläche, Einwohnerzahl, Produktionskapazitäten, Haushalte... Darüber hinaus besagte sie nicht viel: weil das, was Hamburg dem Hamburger bedeutet, allzu verschieden ist von dem, was der Rheinländer für Nordrhein-Westfalen oder Rheinland-Pfalz empfindet.

Gefördert wird eine bestimmte Form der Solidarisierung des Bürgers (auch des Genossen!) mit seinem Land dadurch, daß er dessen Sprache spricht. Im deutschen Sprachgebiet gilt das für die einzelnen Länder mit ihren Dialekten viel mehr als für das Ganze und seine Schriftsprache. Denn Deutsch sprechen schließlich auch die Schweizer und die Österreicher, fast eine Million Amerikaner und mehr als hunderttausend Bewohner der Sowjetrepublik Kasachstan.

Aber nur in Norddeutschland wird Platt gesprochen und nur in Bayern bayrisch, nur in Südbaden alemannisch und nur in Sachsen sächsisch.

Die Länder auf dem Staatsgebiet der DDR – Mecklenburg, Pommern, Brandenburg, Sachsen-Anhalt, Thüringen, Sachsen, Schlesien – sind längst aufgelöst. An ihre Stelle sind Verwaltungsbezirke einigermaßen vergleichbarer Größe getreten; solange es nur um das Verwalten und Verwaltetwerden geht, ist das gewiß die rationalere, die vernünftigere Lösung. Geht es in Nordrhein-Westfalen und in Rheinland-Pfalz, vom Saarland nicht zu reden, um mehr?

Am Leben geblieben ist – nicht auf der Landkarte, aber im Bewußtsein – von den Ländern der DDR vor allem Sachsen: wegen seiner unverkennbaren Sprache (hochmütige Hannoveraner, Repräsentanten der deutschen Bühnensprache, mögen sagen: wegen seiner unverkennbar häßlichen Sprache). Vom Sächsischen einmal abgesehen, das außerhalb Sachsens als komisch und unschön klingend empfunden wurde, waren ja die deutschen

DIE GRENZE ZWISCHEN DER BUNDESREPUBLIK DEUTSCHLAND UND DER DEUTSCHEN DEMOKRATISCHEN REPUBLIK – Alle ostwärts führenden Wege Westdeutschlands enden früher oder später scheinbar im Nichts. Aber hinter dem Nichts droht die am stärksten gesicherte Staatsgrenze der Welt. Hinter dieser Grenze laufen die Wege dann weiter, als wäre nichts geschehen. Kein Mensch vermag es der Ostseeküste, den Elbufern, dem Harz, den Tälern der Werra und der Saale anzusehen, ob sie zur Welt der Volksdemokratien gehören oder zur Welt der parlamentarischen Demokratien. Die Natur, die Landschaften sind «gesamtdeutsch» geblieben. Und auch sonst findet sich «drüben» manches, was genausogut «hüben» sein könnte. Der Bamberger Reiter (West) gehört zur gleichen Sippe wie die Uta von Naumburg (Ost). Sakralbauten werden in der DDR wie in der BRD mehr getreulich gepflegt als begehrlich besucht. Das Erbe gesamtdeutscher Vergangenheit lastet auf Potsdam wie auf Nürnberg, auf Buchenwald (Ost) wie auf Belsen (West). Das Ruhrgebiet und das nordsächsische Industriegebiet haben den gleichen kohleverfinsterten Himmel. Die Elbe fließt bei Wittenberg nicht anders als bei Lauenburg. Goethe wäre ohne Frankfurt sowenig denkbar wie Schiller ohne Marbach/ Mannheim; aber für beide spricht Weimar. Es soll hier nicht um gesamtdeutsche Gemeinsamkeiten gerungen, es soll vielmehr erklärt werden, warum schöne Bilder dazu verführen, Unterschiede zu verwischen: Unterschiede von der Art, die vielen in Ost und West als das einzige gelten, was wirklich gilt; Unterschiede zwischen Kapitalismus und Sozialismus, zwischen spätbürgerlichem und frühproletarischem Weltverständnis. Solche Unterschiede können in schönen Bildern nicht zum Ausdruck kommen; das liegt an dem vielleicht anachronistischen, aber noch immer weithin, und keineswegs nur im Westen, gültigen Begriff des «Schönen». Es bedürfte der ehrfürchtigen Aufwertung von Vergangenem nicht, aber sie kommt freilich entscheidend hinzu, um schöne Bilder aus Deutschland zu Bildern deutscher Vergangenheit zu machen. Aus solchen Bildern kann daher nicht hervortreten, wie sehr sich heute alles ändert, wenn wir die Wege weitergehen könnten, die an der Staatsgrenze, gesichert durch Minengürtel und Wachttürme, aufhören. Der Photograph kann scheinbar weitergehen: in Wirklichkeit ist es ein anderer Photograph. Und es ist eine optische Täuschung: Täuschung einer Optik, die auf das Schöne, das Bleibende, das Verbindende gerichtet ist. Deswegen muß das klärende Wort zerreißen, was das schöne Bild verbinden möchte: Seit 1944 von den alliierten Siegern des Zweiten Weltkrieges vorbereitet, seit 1949 durch Deutsche (Ost) und Deutsche (West) laut genug proklamiert, gibt es zwei deutsche Staaten, die zunächst einmal nichts, aber auch gar nichts mehr miteinander zu tun haben wollen – es sei denn, es gelänge (wie rechtsradikale Politiker das wollen), die DDR heimzuholen in das Atlantische Bündnis oder (wie linksradikale Studenten, die den Spartakus als Patron sich gewählt haben, das ersehnen) die BRD ins Lager des Sozialismus zu steuern. Weder das eine noch das andere hat Aussicht auf Verwirklichung. Es gibt heute keinen natürlichen Weg mehr, auf dem man lässig wandern könnte von Westdeutschland nach Ostdeutschland, oder gar umgekehrt. Es gibt nur die Hoffnung auf stetig wachsende Einsicht: daß auch zwei deutsche Staaten, die sich auf deutsche Weise gründlich zwei konträren Möglichkeiten des Welterlebens zugeordnet haben, nebeneinander existieren können; daß andere Nationen weder an deutschem Wesen genesen noch in deutschen Querelen bluten wollen; daß ein Europa im Entstehen begriffen ist, in dessen Rahmen die deutsche Frage provinziell erscheint.

DIE GUTENBERG-BIBEL – Ein russisches Sprichwort sagt: Die Deutschen haben den Affen erfunden. Das scheint unwahrscheinlich. Seit den Grundlagen zur Atombombe und den Raketenwaffen V1 und V2 haben die Deutschen so gut wie nichts mehr erfunden. Früher allerdings, als «die Deutschen» noch die Deutschen waren und sich nicht allzu viele Sorgen darum machten, was das eigentlich heißt, erfanden sie etwa: 1925 die Quantenmechanik (Heisenberg), 1915 die Allgemeine Relativitätstheorie (Einstein), 1900 die Quantentheorie (Planck), 1900 das lenkbare Luftschiff (Zeppelin), 1897 den Dieselmotor (Diesel), 1896 die Braunsche Röhre (Braun), 1895 die Röntgenstrahlen (Röntgen), 1888 die elektromagnetischen Wellen (Hertz), 1885 den Kraftwagen (Benz, Daimler), 1884 die Setzmaschine «Linotype» (Mergenthaler), 1881 die elektrische Straßenbahn (Siemens), 1867 den Verbrennungsmotor (Otto, Langen), 1861 das Telephon (Reis), 1830 die Nähmaschine (Madersperger), 1826 das Ohmsche Gesetz (Ohm), 1814 die Fraunhoferschen Linien (Fraunhofer), 1718 das Quecksilberthermometer (Fahrenheit), 1674 die Multipliziermaschine (Leibniz), 1510 die Taschenuhr (Henlein), um 1445 die Buchdruckerkunst (Gutenberg). Diese Erfindung freilich hatte einen kleinen Schönheitsfehler: 1403 hatte ein Koreaner namens Tädschong das revolutionäre Druckverfahren schon einmal erfunden. Dennoch, wir sind sehr stolz auf Johann Gensfleisch zum Gutenberg, obwohl das Buch, auf das seine Kunst sich vor allem konzentrierte, nur von ganz wenigen Deutschen noch gelesen wird: es ist die Bibel – auf lateinisch, versteht sich. Erst achtzig Jahre später wurde sie von Martin Luther ins Deutsche übersetzt. Unser Bild: Zwei Seiten aus der 42zeiligen Bibel, gesetzt und gedruckt von 1452 bis 1456 in etwa 180 Exemplaren.

Dialekte – anders als die französischen, englischen, italienischen – gleichwertig, da in ihnen sich immer nur geographische, nie soziale Herkunft ausdrückte. Einer nationalen Identität ist das eher abträglich. Sie kann sich dann nur noch auf eine «gesamtdeutsche» Schriftsprache stützen – aber die teilt sie mit Österreichern und Schweizern.

Andererseits wäre die soziale Gleichwertigkeit der Dialekte eine ideale Voraussetzung für einen ernst gemeinten und ernst zu nehmenden Bundesstaat. Der wiederum scheitert bei uns an der Unvergleichbarkeit der deutschen Länder, von denen das größte 175mal so groß ist wie das kleinste, von denen das bevölkerungsreichste 23mal so viel Einwohner hat wie das bevölkerungsärmste, von denen das älteste 772 Jahre älter ist als das jüngste.

Um homogene Einheiten zu finden, die mehr als einen Namen gemeinsam haben, müßte man in Ländern wie Rheinland-Pfalz und Nordrhein-Westfalen in der Größenordnung eine Stufe tiefer gehen: das Moseltal etwa oder das Ruhrgebiet wären solche Einheiten, geformt durch die «gleichen Schicksale»: Landschaft, Wetter, ökonomische Basis – und, darauf aufbauend, dann auch ähnliche Lebensgewohnheiten, Lebensängste, Lebenserwartungen. Von einer schlechten Weinernte kann sich im Moselland kein wirklich Mitlebender, von sinkendem Kohlebedarf keiner im Ruhrgebiet unbetroffen fühlen.

Deswegen ist auch dieses skurrilste und durch nichts anderes als ökonomische Annexionspolitik entstandene Land, dieses Saarland, nicht so ganz ohne eigenen Charakter: weil es gleichzeitig eine Landschaft darstellt, eine der charakteristischen deutschen Landschaften, ein Flußtal nämlich – oder doch wenigstens Teil eines Flußtales. Kohle und Wein bestimmen das gemeinsame Schicksal dieses Durchgangslandes zwischen West und Ost, französische Küche und deutsche Kühlschränke; Frankophilie, wenn die Regierung deutsch, Germanophilie, wenn sie französisch ist. Ein Saarländer würde sich durchaus auch als Saarländer bezeichnen, so wie ein Moselländer, ein Rheinländer, ein Weserländer, ein Emsländer sich gerne als Bewohner seines Flußtales bekennt.

Warum es keine Elbländer, Lahnländer oder Innländer gibt, wage ich nicht zu entscheiden. Vielleicht nennen sie sich, aus welchem Grunde auch immer, dann doch lieber Hamburger, Marburger, Wasserburger.

Denn wenn wir noch einen Schritt weiter hinuntergehen in der Größenordnung identifizierbarer Einheiten mit der Möglichkeit eines eigenen Selbstverständnisses, dann wäre nach dem Bundesland und der geographischen oder ökonomischen Landschaft die Stadt an der Reihe – oder das Dorf oder die Gemeinde, womit wir auch das Ende dieser Skala erreicht hätten.

Nachdem aus den letzten Fischerdörfern Seebäder und aus den letzten Bergdörfern Winterkurorte geworden sind, finden wir kaum noch deutsche Dorf-Gemeinden mit einem nennens- oder bemerkenswerten Eigenverständnis. Jedenfalls entwickeln sie nicht mehr jene «Totalität der sozialen Beziehungen», sind nicht mehr «globale Gesellschaften vom Typ einer lokalen Einheit», wie es der Soziologe René König vom kleinsten sozialen System jenseits der Großfamilie forderte.

Um so mehr erfüllen viele deutsche Städte Königs Forderungen. Sie sind die kleinsten und als solche die stabilsten Einheiten, da sie allein – anders als die meisten Bundesländer, anders als die beiden deutschen Republiken, anders als «Deutschland» – eindeutig definierbar sind. Wo «Deutschland» liegt (und wo es zu liegen aufhört), was «nordrhein-westfälische Kultur» ist (nach unserer Verfassung haben die Länder vor allem eine eigene «Kulturhoheit») – wer wüßte das so genau zu sagen? Aber über Nürnberg zum Beispiel, oder auch über Nürnbergs Beitrag zur deutschen Geschichte, gibt es kaum Meinungsverschiedenheiten, läßt sich ein Konsensus leicht herbeiführen.

Jenes Zivilisationsniveau, das Voraussetzung ist für Städtegründungen, erreichten die Deutschen mit Hilfe der Römer. Die ersten deutschen Städte wurden, direkt oder indirekt, von den Römern erbaut. Die ältesten deutschen Städte sind daher römischen Ursprungs: Trier *(Augusta Treverorum)* und Aachen *(Aquae Grani)*, Köln *(Colonia Agrippinensis)* und Mainz *(Mogontiacum)*, Regensburg *(Castra Regina)* und Augsburg *(Augusta Vindelicorum)*.

Dabei darf man sich diese frühen Städte nicht zu städtisch oder gar großstädtisch vorstellen. Es waren Befestigungsanlagen, Unterkünfte für Soldaten, denen freilich Händler und Gewerbetreibende immer dichtauf folgten. Aber es gab natürlich noch keine Kirche, kein Rathaus, keine «Geschäfte», keine «Straßen». All das kam später – die Kirchen zuerst.

Auch die ersten von Deutschen selber gegründeten deutschen Städte, die vor etwa tausend Jahren entstanden, waren Befestigungsanlagen: und galt es auch nur, einen Markt oder einen wichtigen Flußübergang zu schützen.

Das war in Deutschland, von den in germanischen Nebeln verschwindenden Anfängen bis ins 18. Jahrhundert hinein, eben immer so: Wo es etwas zu holen gab, da mußten sich die Leute ihrer Haut wehren – gegen Vagabunden, Wegelagerer, Soldateska, Raubritter, gegen neidische Nachbarn und feindliche Heere. Zum Bild der alten deutschen Stadt gehören daher vor allem die Stadtmauern und Stadttore. Dazu kam dann zur Regelung der irdischen Dinge das Rathaus und für die überirdischen die Kirche.

Das sind die drei Grundelemente der deutschen Stadt (es gibt sie natürlich auch in anderen Ländern Europas, aber außerhalb Europas kaum): das Rathaus, später auch die Zunfthäuser, für alle Angelegenheiten der Gemeinde; das Gotteshaus, später auch mehrere, für die Beziehungen der Gemeinde zu den höheren Mächten; Befestigungsanlagen vor allem, ebenso trauriger- wie bezeichnenderweise, für die auswärtigen Beziehungen.

Mit der Zeit wurden die Städte mächtig, mächtiger oft als Kaiser und weltliche Fürsten; nur selten allerdings mächtiger als die geistlichen Fürsten, die respektiert werden mußten als Repräsentanten jenes höheren Auftrages, ohne den die bürgerliche Kultur ihre *raison d'être* verloren hätte.

Soweit unsere Kultur noch immer eine bürgerliche Kultur ist, danken wir sie den deutschen Städten: denn der Prototyp des «Bürgers» ist eben der im Gemeinderat überschaubare Verhältnisse verantwortlich mitbestimmende Stadtbewohner.

Und der Niedergang dieser bürgerlichen Kultur begann damit, daß die irdischen Geschäfte überhandnahmen und die geistliche *raison d'être* verkümmerte.

Die Städte, deren Grundelemente Kirche, Rathaus, Wehranlagen manche von uns, und sei es aus «ästhetischen» Gründen, noch heute bewundern, die immer dann, wenn dieses Land sich gut repräsentiert sehen möchte, staunenden Fremden vorgeführt werden, sei es *in natura,* sei es auf bunten Bildern: sie haben ihre Form während der Jahrhunderte sehr verändert, ohne daß erkennbare Grundzüge ihres Charakters ganz verschwunden wären.

KREIDESTEILKÜSTE VON STUBBENKAMMER IM NORDOSTEN DER INSEL RÜGEN –
DER ALTE MARKT VON STRALSUND – Durch die deutsche Teilung von 1945/1949
wurde die deutsche Ostseeküste in zwei Teile zerschnitten. Historisch gesehen, verläuft
der Schnitt zwischen den alten Hansestädten Lübeck und Wismar, soziologisch-geo-
graphisch zwischen den Ostseebädern Travemünde und Kühlungsborn. Der heute in
der DDR liegende Teil der Ostseeküste ist, nehmt alles nur in allem, der landschaftlich
schönere. Besonders schön ist Rügen, mit 968 Quadratkilometern einst Deutschlands
größte Insel, durch den 2,5 Kilometer breiten Strelasund von der Küste getrennt. Dort
liegt Stralsund, wiederum eine alte Hansestadt, wo auch noch Reste jener Backsteingotik des «Kolonialstils» erhalten sind, die – aus Westfalen importiert – so kennzeich-
nend ist für die Burgen, Kirchen und Rathäuser Ostelbiens. Rügen teilte das Schicksal
so mancher der deutschen Küste vorgelagerten Insel und wechselte wiederholt den
Besitzer. Zuerst von Germanen, dann von Slawen besiedelt, wurde es 1168 dänisch,
1325 kam es zu Pommern, 1648 fiel es an Schweden, seit 1815 gehört es zu Preußen
und seit 1949 zur DDR. Die Insel lebt, als eines der ältesten deutschen Seebäder, vor
allem vom Fremdenverkehr.

IM HAFEN VON ROSTOCK – Rostock liegt an der Warnow, wie Lübeck an der Trave liegt. Fünfzehn Kilometer weiter mündet die Warnow bei Warnemünde in die Ostsee, so wie fünfzehn Kilometer weiter die Trave bei Travemünde. Rostock und Lübeck, beide einst Hansestädte, liegen an einer Ostseebucht – aber während diese Bucht bei Lübeck seicht ist, ist sie bei Rostock tief. Während Lübeck daher als Hafenstadt keine Rolle spielt, mußte zwar auch Rostock ambitionierte Pläne begraben, einmal zu den Großen der Welt zu gehören wie Rotterdam, Le Havre, London, Hamburg, kann sich jedoch als Ostseehafen nach Gdánsk (Danzig) und Szczezin (Stettin) durchaus behaupten. Aller Ehrgeiz und alles verfügbare Kapital wurden in dieses für die DDR lebenswichtige Projekt investiert. Rostock ist dadurch zur sechstgrößten Stadt der DDR geworden (nach Berlin, Leipzig, Dresden, Karl-Marx-Stadt alias Chem-

nitz und Halle). Die Industrien, die, wegen der günstigen Lieferwege, in Rostock und um Rostock herum entstanden sind, bedeuten eine große Hilfe für das Land, das einmal Mecklenburg hieß und ein Paradoxon war: ein Agrarstaat nämlich mit nur mäßig gutem Boden. Man hat es im 17. Jahrhundert der Habgier der adligen Grundbesitzer und im 20. der kommunistischen Ideologie zugeschrieben, hat beide Male von «Bauernlegen» gesprochen, als Großbetriebe, heute landwirtschaftliche Produktionsgenossenschaften, das Land von den kleinen Bauern übernahmen. Tatsache ist, jenseits aller Ideologien: Der Boden gibt nicht genug her dafür, daß ein kleiner Bauer davon leben könnte. Schöner freilich ist Rostock nicht geworden durch die Industrie – eine Hafenstadt halt, in der es sich leben läßt. Das schönste Bauwerk in Rostock ist heute die Marienkirche – wie in Lübeck.

Auf dem Gebiet der deutschen Republiken gibt es heute über achtzig Großstädte (man kann sich da schwer festlegen, es kommen ja jedes Jahr neue dazu). Am Ende des 18. Jahrhunderts gab es nur zwei: Berlin und Hamburg.

In der ersten Hälfte des 19. Jahrhunderts wurde Dresden Großstadt, nach 1850 Leipzig und Köln und München.

Während der «Gründerzeit» erst, während der ersten zwanzig Jahre des Bismarck-Reiches also, entstanden dann Großstädte, die schon eine gewisse Ähnlichkeit hatten mit dem, was wir heute Großstadt nennen würden. Aber es waren auch noch nicht mehr als fünfzehn: Altona, Bremen, Hannover, Braunschweig, Magdeburg, Halle, Chemnitz, Barmen, Elberfeld, Düsseldorf, Krefeld, Aachen, Frankfurt, Nürnberg, Stuttgart.

Ein anderer historischer Rückblick auf die Geschichte der deutschen Städte zeigt noch deutlicher, daß mit einem Satz wie etwa «Trier ist fast zweitausend Jahre alt» eine Identität vorgetäuscht werden kann, die ganz oberflächlich ist. Denn von einer «Stadt» Trier im heutigen Sinne kann lange Zeit nicht die Rede sein; bis ins 19. Jahrhundert hinein hatte Trier weniger als zehntausend Einwohner.

Und die anderen stolzen Römer-Gründungen? Städte im eigentlichen, in jenem Über-zehntausend-Einwohner-Sinn waren bis zu Anfang des 16. Jahrhunderts nur Köln, Regensburg und Augsburg. Im 17. Jahrhundert kam Aachen dazu, im 18. Jahrhundert Mainz.

KLOSTER CHORIN BEI EBERSWALDE – Ein Bildkommentator, der dieser siebenhundert Jahre alten pseudoreligiösen Backsteingotik auf einst heidnischem und heute atheistischem Boden niemals große Bewunderung entgegenbringen konnte, glaubt einem Kronzeugen gerne, der aussagt: Es «spricht manches dafür, daß Kloster Chorin nicht viel etwas anderes zu bedeuten hatte als eine große mönchische Ökonomie, in der es auf Erhaltung und Mehrung des Wirtschaftsbestandes, aber wenig auf die Heiligkeit ideeller Güter ankam». Dieser gleiche Kronzeuge behalte das Wort: «Chorin [...] gibt sich fast ausschließlich als Architekturbild. Alles fehlt, selbst das eigentlich Ruinen-hafte der Erscheinung, so daß, von gewisser Entfernung her gesehen, das Ganze nicht anders wirkt wie jede andere gotische Kirche, die sich auf irgendeinem Marktplatz irgendeiner mittelalterlichen Stadt erhebt. Nur fehlt leider der Marktplatz und die Stadt [...] Wer hier in der Dämmerstunde des Weges kommt und plötzlich zwischen den Pappeln hindurch diesen still einsamen Prachtbau halb märchenartig, halb gespenstisch auftauchen sieht, dem ist das Beste zuteil geworden, das diese Trümmer, die kaum Trümmer sind, ihm bieten können» (Theodor Fontane in *Wanderungen durch die Mark Brandenburg*).

D IE SCHLOSSKIRCHE DER LUTHERSTADT
WITTENBERG – DIE WARTBURG – Das Assimilationsvermögen der geistigen Elite unter den Sozialisten der Deutschen Demokratischen Republik
mag zunächst erstaunlich scheinen; im Grunde erklärt es, wie dieser Staat entstehen konnte; gewiß
mit Hilfe der Sowjets, aber sie allein hätte nicht
genügt. Aus Wittenberg an der Elbe wurde erst in
der DDR die «Lutherstadt Wittenberg». Wo es um
die Pflege kulturellen Erbes geht, sind die Ideologen in der DDR von einer verblüffenden Großzügigkeit. Viele Worte und viele Taten Luthers, von
seinem Vertrauen auf Gott statt auf die Menschen
bis zu seiner Parteinahme gegen die rebellierenden
Bauern, machen klar genug, was diese Regierung
mit Hilfe des dialektischen Materialismus zu leisten

vermag: sie feiert den Professor Luther, der 1511
nach Wittenberg kam, um an der Universität Theologie zu dozieren. Aus seinen Vorlesungen und
Übungen gingen die Thesen vom 31. Oktober 1517
hervor, die angeblich an die Schloßkirche angeschlagen wurden. Luther konnte nicht wissen, daß
er damit eine Zeitenwende markierte. Vielleicht
ahnte er es, als er knapp vier Jahre später, vom
Reichstag in Worms geächtet, auf der Wartburg
Asyl fand und dies am Ende nutzte für die Übersetzung des Neuen Testaments aus dem Griechischen und Hebräischen – wiederum eine sehr viel
bedeutendere Tat, als Luther ahnen konnte. Bei
einer eher schwachen Übersetzung, wo wir mit
heutigen Maßstäben der Genauigkeit messen, fand
und erfand er, was es bis dahin nur in Ansätzen

gab: die deutsche Schriftsprache der Neuzeit. Er konnte dabei auf eine Amtssprache der Bürokratie sich stützen, die in Sachsen, im ersten Kolonialland des fränkischen Karolingerreiches gewissermaßen, nicht zufällig sich zuerst entwickelt hatte. Aber diesen trockenen Stil der sächsischen Ämter, nach der Residenz Meißen (bis 1485) auch die Meißnische Kanzleisprache genannt, reicherte Luther an mit Wörtern und Redewendungen, wie er sie von den Leuten in Mansfeld, Magdeburg, Eisenach, Erfurt und Wittenberg gehört, und mit der unentwegt Sprachbilder produzierenden Kraft seiner Phantasie – die noch deutschen Schriftstellern von Brecht bis Böll als Vorbild dient. Was gewiß weder Luther allein zuzuschreiben noch allein an die Bibelübersetzung gebunden ist: aber dort, auf der Wartburg, wird manifest, was sich als die Verkehrs- und Literatursprache der Deutschen entwickeln sollte. Und wiederum erstaunlich: Kein westdeutscher Staat könnte liebevoller, als die DDR das tut, diese Wartburg pflegen: auf der Luther christlich Gesamtdeutsches schuf; die vorher Ruhm erlangt hatte durch Fest- und Streit-Lieder der deutschen Troubadours; die später, am 18. Oktober 1817, noch einmal weltweites Aufsehen erregte, als die Studenten der Deutschen Burschenschaft dort, dem Beispiel Luthers folgend, Bücher verbrannten. Souverän wird die DDR fertig mit diesem zwiespältigen gesamtdeutschen Erbe.

Das Rathaus von Wernigerode im Harz – Wenn man die Mittelgebirge als eine eigentümlich deutsche Landschaft bezeichnet, dann muß neben dem Schwarzwald vor allem der Harz als «typisch deutsch» gelten. Das sind Landschaften für Liebhaber. Heinrich Heine schrieb: «Die Wildheit der Gegend war durch ihre Einheit und Einfachheit gleichsam gezähmt. Wie ein guter Dichter […] weiß die Natur auch mit den wenigsten Mitteln die größten Effekte hervorzubringen. Da sind nur eine Sonne, Bäume, Blumen, Wasser und Liebe. Freilich, fehlt letzteres im Herzen des Beschauers, so mag das Ganze wohl einen schlechten Anblick gewähren […]» (1824, *Die Harzreise*). Ursprünglich teilte man das Bergland in einen nördlichen Oberharz (an dessen Ostseite Wernigerode liegt) und einen südlichen Unterharz; heute jedoch verläuft die deutsche Teilung auch hier zwischen Ost und West. Die Tollheit von Grenzen wird dort unerträglich, wo gewachsene Gebilde willkürlich zerschnitten werden: wie die Stadt Berlin, so die Landschaft des Harzes. Da wird Wernigerode von Osterrode getrennt, die einst freie Reichsstadt Nordhausen von der einst freien Reichsstadt Goslar, das älteste deutsche Bergwandergebiet vom ältesten deutschen Skigebiet. Und das alles nur, weil irgendwo zwischen Wernigerode und Bad Harzburg die Bistümer Halberstadt und Hildesheim im 18. Jahrhundert ihre Interessen auseinanderdividiert hatten, weil zwischen dem Winterberg und dem Wurmberg Braunschweiger und Hannoveraner dem preußischen Expansionsstreben im 19. Jahrhundert ein Ende machten. Die berühmtesten Harzreisenden, Goethe und Heine, wanderten im Gebiet der DDR, im Ilsetal und auf dem Brocken; im Gebiet der DDR wird das Tal der Bode, die aus der BRD kommt, tief und lockt Touristen mit Roßtrappe und Hexentanzplatz. Im sanfteren Westharz der BRD wurde in Braunlage 1892 der erste Wintersportverein gegründet, wurde in Andreasberg 1896 das erste Winterfest veranstaltet. Die Hexen, die im Harz ja zu Hause sind und dort ihre wüsten Walpurgisnachtorgien feiern, haben so großen Unfug nie angestellt. Dazu bedurfte es vernunftbegabter Menschen, Politiker und Politologen, die, vorzüglich ausgebildet, natürlich weder mit Hexen noch mit Hexenverfolgungen in Zusammenhang gebracht zu werden wünschen. Gewiß: Menschen haben die zaubervolle Landschaft des Harzes erschlossen mit Ski-Abfahrten und Wanderwegen; Menschen haben jedoch auch dafür gesorgt, daß diese Wege früher oder später an einem Minenfeld enden.

Der Dom zu Magdeburg – Zur Zeit der Sachsenkaiser war Magdeburg an der Elbe die wichtigste Kaiserresidenz (Pfalz) neben Aachen. Otto I., dem die Stadt ihren Dom verdankt, liegt dort begraben. Dieser Dom jedoch brannte ab und wurde im 13. und 14. Jahrhundert ersetzt durch den im wesentlichen, trotz Kriegszerstörungen, heute noch erhaltenen Bau. Er wirkt auf eine eindrucksvolle Weise anachronistisch in einer «sozialistisch neugestalteten», hochmodernen Stadt, die inmitten der fruchtbaren Magdeburger Börde liegt und auch durch Schwerindustrie sowie den größten Binnenhafen der DDR sichtbar wohlhabend ist.

Erfurt: Dom und Severikirche – Erfurt ist eine höchst sonderbare Stadt: Manchen gilt sie als die schönste in Thüringen – aber sie hat nie wirklich zu Thüringen gehört. Im ausgehenden Mittelalter soll die Stadt 90 Kirchen gehabt haben und 30 Klöster – aber nie galt sie als sonderlich fromm oder auch nur eminent geistlich. Der große Mystiker Meister Eckart war Prior der Erfurter Predigerkirche – aber in der Geschichte der Stadt fehlen alle mystischen Züge. Martin Luther war in Erfurt Mönch, wurde in Erfurt zum Priester geweiht, studierte in Erfurt und erwarb dort den Doktorgrad – aber Erfurt hat in der Reformation keine Rolle gespielt. Die herrliche mittelalterliche Baugruppe auf dem Domberg, am Rande

der Stadt, die noch heute der Stolz des von der Staatsdoktrin her atheistischen Erfurt ist, besteht aus zwei nach wie vor katholischen Kirchen: Neben dem gotisch emporstrebenden Chor des Domes (links) erscheint St. Severi eher auf die Horizontale angelegt, bis es auf einmal, recht unvermittelt, mit seinen drei schlanken Türmen die Höhe des Doms fast erreicht und sogar (mit dem mittleren Turm) übertrifft. All das berührt den Alltag von Erfurt schon seit langem nicht mehr: der ist fest gegründet in der Fruchtbarkeit seines Bodens, einer Talmulde, durch die die Gera fließt. Dort wachsen Blumen wie in Holland, und ihre Samen werden in alle Welt exportiert.

Überhaupt gab es vor 1500 auf dem Gebiet der derzeitigen deutschen Republiken nur fünfzehn Städte, wenn wir, der Orientierung halber, von einer Stadt verlangen, daß sie wenigstens zehntausend Einwohner hat: Lübeck, Rostock, Hamburg, Braunschweig, Magdeburg, Halle, Berlin, Erfurt, Soest, Köln, Frankfurt, Nürnberg, Regensburg, Augsburg, Ulm.

Seitdem sind die Städte größer geworden, viel größer. Sie haben dadurch zweifellos an Identitätsbewußtsein verloren, wie nicht anders zu erwarten, da jede Vergrößerung mit einer Aufnahme heterogener Elemente verbunden ist.

Sie haben auch an Macht verloren. Gegenüber all den kleinen Herzogtümern und Grafschaften war, bis ins 18. Jahrhundert hinein, eine Stadt mächtig vor allem dadurch, daß sie reich war. Von den wechselnden Potentaten erkauften sich die Städte ihre Unabhängigkeit. Noch bis zum Ende des 18. Jahrhunderts gab es an die fünfzig solche «freie» und «reichsunmittelbare» Städte. Durch Napoleon und die Aufhebung vieler «Unmittelbarkeiten» (Mediatisierung) änderte sich das; es blieben nur sechs Freie Städte: Frankfurt, Nürnberg, Stuttgart sowie die drei Hansestädte Hamburg, Bremen und Lübeck.

Ein Erbe jener glor- und auch sonst reichen Zeit der deutschen Städte ist es, wenn sie und kleinere Gemeinden noch heute von Grundbesitz und Gewerbefleiß ihrer Bewohner profitieren: Die Grundsteuer und die Gewerbesteuer gehören den Gemeinden. Freilich wurden inzwischen die Lohnsteuer und die Einkommensteuer und die Mehrwertsteuer und viele Verbrauchsteuern erfunden; diese Steuern wurden erhöht und immer wieder erhöht – und von der Zentralverwaltung kassiert: dem Reich, dem Bund, den Ländern. Verteilt werden sie dann etwa so (es hat keinen Sinn, die Milliarden Mark zu zählen, da das nächstes Jahr doch schon wieder nicht mehr stimmt – aber der «Verteiler-Schlüssel», der wird sich so schnell nicht ändern): Von den Steuern, die eingetrieben werden können, bekommt der Bund reichlich die Hälfte, bekommen die zehn Länder zusammen ein Drittel und bekommen die ungezählten Städte, Dörfer und sonstigen Gemeinden das restliche knappe Sechstel. Die einst so reichen deutschen Städte sind arm geworden.

Aber die ungeheure Vergrößerung durch den Zustrom Stadt- und sogar Landesfremder, die Industrialisierung, die politische Entmachtung, die Verarmung, die oft totale

WEIMAR: GOETHES GARTENHAUS UND SCHILLERS WOHNHAUS – Weimar ist das Rothenburg der Deutschen Demokratischen Republik: So wie in Rothenburg deutsches Mittelalter wie in einem Museum erhalten geblieben ist, so in Weimar der Geist des deutschen Bildungsbürgertums. Goethe und Schiller sind dort freilich Vorläufer des Sozialismus, denn so, wie die Arbeiter und Bauern der DDR sich gegen das herrschende Bürgertum aufgelehnt haben, so haben Goethe und Schiller als revolutionäre Bürger sich aufgelehnt gegen die herrschende Klasse ihrer Zeit, gegen den Adel... Wie viele ideologische Theorien hat auch diese den Nachteil, daß man sie aus Fakten nicht herleiten kann. Der Stuttgarter Schiller,

der Frankfurt-Straßburger Goethe mögen bürgerliche Revolutionäre genannt werden. Der Hofrat Schiller, der im Dezember 1799 als Gehaltsempfänger des Herzogs von Jena nach Weimar übersiedelte, der zwei Jahre später das Haus an der Esplanade (heute Schillerstraße) bezog, das jetzt eine der «nationalen Gedenkstätten» der DDR ist, und der 1802 geadelt wurde – er hatte längst seinen Frieden gemacht mit dem System eines liberalen Absolutismus. Mehr noch gilt das für den Gutsbesitzer, Wirklichen Geheimen Rat und Kultusminister von Goethe, dessen Wohnhaus am Frauenplan ebenso andächtig konserviert wird wie sein Frankfurter Geburtshaus am Großen Hirschgraben. Das Gartenhaus an den Ilmwiesen war

Junggesellen-Residenz des jüngeren Goethe: einen Tag, nachdem er es verlassen hatte, empfing er (am 3. Juni 1782) das Adelsdiplom von Kaiser Joseph II. Gemessen an der Pracht des süddeutschen Barock oder der großzügigen Solidität der Hansestädte, wirken diese Häuser arrivierter Kleinstaatsbürger, das Schiller-Haus mehr als das Goethe-Haus am Frauenplan, bescheiden, eng und schmucklos. Anders als bei weltlichen und geistlichen Machthabern hat sich literarische Größe nie in der Architektur der Schriftsteller-Wohnhäuser ausgedrückt – was vor allem ökonomisch zu erklären ist: selbst der reichste unter den deutschen Dichtern, Goethe, war ein Pauper, verglichen mit dem belanglosesten Duodez-Fürsten. Es ist daher nur

aus einer Tradition rührender Verlegenheit zu verstehen, daß man Wohnhäuser oder Geburtshäuser von Schriftstellern (oder Malern oder Musikern oder Gelehrten) im Bild zeigt. Wie aber zeigt man Schönheit und Kraft des Geistes demjenigen, der dessen Werke zu studieren nicht Muße oder nicht Lust oder nicht die Fähigkeit hat? Wie könnte es gelingen, mit wenig Texthilfe anschaulich klarzumachen, daß im Weimar des ausgehenden 18. und beginnenden 19. Jahrhunderts eine Potenz konzentriert war, die so recht geeignet gewesen wäre, jenes Traum-Deutschland der Dichter und Denker zu repräsentieren, das seither, von wenigen kaum verstanden, bei den vielen schon wieder in Verruf geraten ist!

BURGEN AN DER SAALE: RUDELSBURG UND BURG-RUINE SAALECK – «An der Saale hellem Strande», dichtete Franz Kugler um 1822, «stehen Burgen stolz und kühn.» Freilich galt schon damals: «ihre Dächer sind zerfallen, und der Wind pfeift durch die Hallen». Die schönsten und größten dieser Burgruinen sind die Rudelsburg und, westlich davon, mit dem runden Turm, Saaleck. Als Burgen waren sie ohne größere historische Bedeutung; als Ruinen trugen sie bei, das Saaletal von Saalfeld bis Naumburg, dessen Fruchtbarkeit vor allem durch Obstbau genutzt wird, sehr malerisch zu machen. Seine herbe Romantik wirkte besonders anziehend auf junge Leute, Burschenschaftler, Korpsstudenten und all jene Bünde, die am Anfang des 20. Jahrhunderts entstanden und die wir als «Jugendbewegung» zusammenfassen.

«Ein soziales System mit eigener Wertordnung» (Wyneken) wurde auch damals gefordert; heute hieße das «Veränderung der Gesellschaft», gemeint ist genau das gleiche. Jungdeutscher Bund, Kronacher Bund, Wandervögel, Pfadfinder, Freideutscher Bund und wie sie alle hießen – sie trennten sich während der zwanziger Jahre in eine eher nationale und eine eher sozialistische Fraktion. Die Sozialisten (Neuwerk, Bruderhof-Gemeinschaften) waren die Schwächeren. Aus dem Jungdeutschen Bund entwickelte sich die Bündische Jugend, daraus (1926) der Bund der Wandervögel und Pfadfinder, daraus schließlich (1927) die Deutsche Freischar. Die Traditionen und viele Personen der Deutschen Freischar halfen, 1930 bis 1933, den NS-Schülerbund, den NS-Studentenbund und vor allem die Hitlerjugend aufzubauen.

und nicht selten mehrfache Zerstörung durch Krieg und Feuersbrunst – das alles ändert nichts daran: wenn irgend etwas in dem ungefähren Gebiet, das wir gewohnheitshalber Deutschland nennen, eine (zur Not) definierbare Identität, einen (wenn es denn sein muß) beschreibbaren Charakter hat, dann sind es nicht die Republiken und selten die Länder, sondern dann sind es einzelne Landschaften und vor allem die Städte und Gemeinden.

Keineswegs alle Gemeinden und auch nicht mehr alle Städte: aber noch immer so viele, daß sie seitenlang aufgezählt werden könnten. Da scheint es vernünftiger und lehrreicher, sich einmal die Städte anzusehen, die ihre Identität, ihren Charakter verloren oder die etwas Derartiges nie gewonnen haben. Ich meine da vier Modelle zu erkennen: die nicht gelungene Neugründung; das Städtekonglomerat als Ergebnis zu vieler Neugründungen auf zu engem Raum; die durch Aufnahme allzu heterogener Elemente zu schnell gewachsene Stadt; die geteilte Stadt.

Jedes dieser Modelle sei an einem charakteristischen Beispiel verdeutlicht.

Auf amtlichen Zusammenstellungen der deutschen Großstädte findet man eine Stadt Salzgitter verzeichnet. Außer auf dem Papier gibt es diese Stadt nicht, es hat sie nie gegeben, und es wird sie voraussichtlich nie geben. Es ist gespenstisch. Da gab es ein kleines Städtchen Salzgitter, Bad Salzgitter, und das hatte, ehe es zur Großstadt aufgeblasen werden sollte, 3000 Einwohner. Heute hat es an die 30000. Und zur Großstadt wird es, indem man 28 umliegende Dörfer mitzählt, von denen einige inzwischen freilich auch kleine Städte geworden sind. Zehn Städtchen und neunzehn Dörfer, mit Feldern und Wäldern und Bauernhöfen, aber auch mit mächtigen Hüttenwerken und großen Zuliefer- oder Verarbeitungsbetrieben: das ist die Großstadt Salzgitter – das sollte die Großstadt Salzgitter werden, weil unter ihren 213 Quadratkilometern Boden das umfangreichste Eisenerzlager Deutschlands neu entdeckt worden war zu einer Zeit, da Deutschland, das sich damals das Dritte Reich nannte, Eisen brauchte für den Krieg. Blut hatte es genug.

Im Juli 1937 wurden die «Reichswerke A.G. für Erzbergbau und Eisenhütten Hermann Göring», am 31. März 1942 wurde auf dem Verordnungswege die Stadt Salzgitter gegründet.

Aber so viel Erz, wie das Dritte Reich brauchte, um den Krieg zu gewinnen, konnte in Salzgitter gar nicht gefördert werden. Und was gefördert wurde, war schlechtes, war «saures» Erz.

Die Bundesregierung übernahm auch Salzgitter und «die Reichswerke», wie sie noch immer heißen (das «Hermann Göring» läßt man weg), mit der Konkursmasse. Und Optimisten sagen, der Tag werde kommen, da sie und die inzwischen neugewonnenen Aktionäre dessen noch einmal froh werden. Dann entstünde im Braunschweiger Land zwischen Goslar und Wolfenbüttel ein zweites Ruhrgebiet. Die Chancen der Stadt Salzgitter, einen eigenen Charakter zu finden, stiegen damit allerdings kaum.

Denn unter den großen deutschen Städten haben es die im Ruhrgebiet am schwersten mit der Selbstidentifikation. Von der Fremdidentifizierung nicht zu reden. Kein Deutscher und erst recht kein Engländer, Franzose, Amerikaner, der nicht aus persönlichen Gründen sich genau auskennt, wüßte zu unterscheiden zwischen Bottrop und Oberhausen, zwischen Herne und Wanne-Eickel. Jede vierte deutsche Großstadt liegt im Ruhrgebiet. Kleine Städtchen wie Mülheim wurden dort groß, und große Städte wie Oberhausen

DER THOMANERCHOR – Die Thomaskirche, etwa 1550 entstanden, ist ein am ehesten noch durch sein Alter bemerkenswertes Bauwerk. Viel Altes ist ja in Leipzig nicht stehengeblieben. Auch haben hier keine großen Prediger eingewirkt auf das Seelenheil der Deutschen: die Leipziger waren in Glaubensfragen immer ziemlich lau; aus lauen Katholiken wurden dort ziemlich spät laue Protestanten. Die geistig große Zeit Leipzigs war, ganz folgerichtig, die Zeit der Aufklärung. In dieser Zeit auch etablierte sich Leipzig als Musikstadt. Keimzelle ist die Thomaskirche.

JOHANN SEBASTIAN BACH VOR DER THOMAS-
KIRCHE IN LEIPZIG – Die Klosterschule zu St. Thomas ist dreihundert Jahre älter als die Thomaskirche,
und älter ist wohl auch der Thomanerchor – nur
einer von vielen Knabenchören, bis Johann Sebastian
Bach 1723 sein Kantor wurde. Und Bach hat dieses
Amt gehaßt, das ja auch mit der Verpflichtung zu
Latein-Unterricht und Aufsichtsstunden verbunden
war! Leipzig ist eigentlich sehr gegen seinen Willen
zur Musikstadt geworden – es war «ein sehr theurer
Orth», und das Sagen hatte «eine wunderliche und
der Music wenig ergebene Obrigkeit» (J. S. Bach).
Erst als Telemann aus Hamburg und Graupner aus
Darmstadt abgesagt hatten, erging der Ruf an Bach
nach Köthen – da man eben, wie ein Ratsherr ent-
larvend bemerkte, mit dem Mittelmäßigen fürlieb-
nehmen muß, wenn man gute Leute nicht kriegen
kann. Auch die Professoren der Leipziger Universität, die doch gerade in dieser Zeit eine weder vorher
noch später wieder erreichte Blüte erlebte, waren
unfähig, Bachs Bedeutung zu erkennen, und ließen
ihn nur widerwillig in der universitätseigenen Pau-
linerkirche auftreten. Hundertfünfzig Jahre später
beklagte der andere große Leipziger unter den Komponisten, Richard Wagner, «die sonderbaren musi-
kalischen Umstände», die ihn «so lange von Leipzig
ferngehalten» hätten. Aber Leipzigs Ruhm als Musikstadt in der Nachfolge Bachs war nicht mehr aufzuhalten. Zum Thomanerchor kamen die Collegia
Musica der, zum Teil noch von Bach unterrichteten,
Studenten; und aus diesen Musikkollegien wurden
1781 die Gewandhauskonzerte. Dort dirigierte zwischen 1835 und 1847 Felix Mendelssohn; gleichzeitig
gab Robert Schumann in Leipzig seine *Neue Zeit-
schrift für Musik* heraus. Das Gewandhausorchester,
das heute auch für die Thomaskirche und für die
Oper zuständig ist, brauchte geschulten Musiker-
nachwuchs; so entstand das Konservatorium, an dem
1907 bis 1916 Max Reger Komposition unterrichtete.
Eine solche Konzentration großer Musiker finden
wir außerhalb Wiens nirgendwo wieder. Dies ist freilich nur ein Aspekt jener rührigen Stadt, die vom
jungen Goethe als ein Klein-Paris gelobt wurde und
zu seiner Zeit tatsächlich eine Metropole deutschen
Geistes war. Später wurde das «rote Leipzig» zu
einem Zentrum der deutschen Arbeiterbewegung.
Weltberühmt jedoch ist Leipzig seit dem 17. Jahrhundert und bis heute als Messestadt.

DRESDEN: BLICK VON DER BRÜHLSCHEN TERRASSE AUF HOFKIRCHE UND OPER – ZWINGER – Dresden war immer die Kunst- und Kulturstadt Sachsens: unter den Wettinern, den Kurfürsten und später Königen von Sachsen, in der Weimarer Republik, unter Hitler; und die Regierung der DDR hat sich den Luxus geleistet, den Kern der Altstadt Stein um Stein wieder aufbauen zu lassen: die Brühlsche Terrasse, den Zwinger, die katholische Hofkirche, die Gemäldegalerie, den Georgenbau des Schlosses, die Oper, die Kreuzkirche und die Annenkirche. All das und vieles andere war am 13. Februar 1945 von der britischen Royal Air Force zertrümmert und ausgebrannt worden. Gleich hinter dem alten Stadtkern entstand nach dem Kriege eine moderne Großstadt mit Bürohochhäusern und Wohnmaschinen. Am Ufer der Elbe aber, auf der Brühlschen Terrasse oder im Zwinger, kann man sich noch zurückversetzen in die Zeit Augusts des Starken, der aus einer schönen Renaissancestadt die schönste Barockstadt nördlich der Mainlinie gemacht hat; kann man den Neid des Preußenkönigs beim Anblick dieser Stadt begreifen; kann man das Schwärmen vom «deutschen Florenz» (Herder) nachempfinden; weiß man, was ein Schriftsteller unserer Tage meinte, als er schrieb: «Dresden war eine wunderbare Stadt [...] Die Vergangenheit und die Gegenwart lebten miteinander im Einklang [...] und mit der Landschaft zusammen [...] Wenn es zutreffen sollte, daß ich nicht nur weiß, was schlimm und häßlich, sondern auch, was schön ist, so verdanke ich diese Gabe dem Glück, in Dresden aufgewachsen zu sein» (Erich Kästner).

entstanden aus dem Nichts so, wie Salzgitter entstehen sollte: weil im Ruhrgebiet Kohle zu finden war und weil die Kohle, neben dem Erz, für ein beginnendes Industriezeitalter den wichtigsten Rohstoff abgab.

Das ganze Ruhrgebiet ist im Grunde eine einzige Großstadt: eine hundert Kilometer lange und dreißig Kilometer breite Industrie-Monster-Metropole, auf die jedes Jahr zwei Millionen Tonnen Staub fallen und wo die Sonne daher im Jahresdurchschnitt einen Monat weniger scheint als im übrigen Bundesgebiet. Aber hier wird eben auch für die Länder der europäischen Montan-Union mehr als die Hälfte aller Kohle gefördert und aus schwedischen oder lothringischen Erzen mehr als ein Drittel des Stahls gewonnen.

Läge Dortmund nicht am Rande des Ruhrgebietes, dann hätte diese Stadt, eine reiche Handelsstadt schon vor sechshundert Jahren, keine Schwierigkeiten, ihre Identität zu behaupten. So aber ist sie einem Wilhelm Overbeck, der den Münchnern die Kunst des Bierbrauens abgeguckt hat, zu großem Dank verpflichtet. Bier und Borussia und die Westfalenhalle retten Identität und Selbstbewußtsein.

Apropos Borussia, da es ja Menschen geben soll, denen man das erklären muß: «Borussia Dortmund» ist eine Fußballmannschaft; und wenn der Ruhrgebiet-Fußball als ganz besonders stark gilt (außer Borussia Dortmund haben die Vereine Schalke 04, VfL Bochum, Rot-Weiß Essen, Schwarz-Weiß Essen, Rot-Weiß Oberhausen, MSV Duisburg, Westfalia Herne und Wuppertaler SV einen guten Namen in der Welt der Kicker), dann vielleicht nicht zuletzt deswegen, weil jeder dieser Vereine mit missionarischem Eifer bemüht ist, die Identität einer der allzuvielen aneinandergepferchten, ineinander übergehenden Großstädte im Ruhrgebiet bewußt zu machen.

Dagegen mußte die Identität von Bonn als gesichert erscheinen: eine freundliche kleine Residenzstadt am Rhein, die sich von König Friedrich Wilhelm III. eine Universität schenken ließ. Das sollte es den widerspenstigen katholischen Rheinländern leichter machen, sich für die neuen protestantischen Herren aus Preußen zu erwärmen.

Die Universität gewann größere Bedeutung, als vorauszusehen war. Dort entwickelte sich nicht nur die klassische Philologie und die Romanistik zur höchsten Blüte, dort wurde

MEISSEN – Mit Meißen begann Sachsen: hundertfünfzig Jahre lang, bis zum Aufstieg Preußens, bis zum Siebenjährigen Krieg, der mächtigste norddeutsche Staat. In Meißen etablierte sich 1089 mit Markgraf Heinrich I. eine neue deutsche Dynastie: die der Wettiner, die in Sachsen herrschte, bis der allseits beliebte König Friedrich August sich 1918 von seinen Untertanen verabschiedete mit den seither geflügelten Worten: «Machd eiern Dreck alleene.» Dom und Schloß auf dem Felsen über der Stadt erinnern an vierhundert Jahre ständiger Kampfbereitschaft. Erst 1485 wurde die Residenz verlegt von Meißen nach Dresden – nicht mehr uneinnehmbare Burgen gaben den Fürsten Stärke, sondern ökonomische Leistungskraft, die sich, allen sichtbar, darstellte in prunkvoller Repräsentation. Je mehr Dresden aufstieg, desto mehr versank Meißen in der Provinz. Aber in dieser Provinz kann es sich rühmen: das einzige sächsische Bistum gewesen zu sein, der Dom ist also eine Kathedrale; eine der drei sächsischen Fürstenschulen beherbergt zu haben (die anderen waren in Grimma und Schulpforta), die als die besten Schulen Deutschlands galten (Gellert und Lessing sind in Meißen zur Schule gegangen); den Deutschen, sie mögen es glauben oder nicht, ihre Schriftsprache gegeben zu haben; und schließlich zur Wirtschaftskraft Sachsens und damit auch zum Glanze Dresdens beigetragen zu haben durch die 1710 gegründete Porzellanwarenmanufaktur, die den Namen Meißen bis über den Atlantik getragen hat.

auch der modernen Chemie das erste große Institut gebaut, wo ein Kekule die Ringstruktur von Kohlenwasserstoffmolekülen erträumte und erarbeitete. Dort unterrichteten ein Ernst Moritz Arndt und ein August Wilhelm von Schlegel, ein Karl Simrock und ein Ernst Robert Curtius. Dort studierten ein Heinrich Heine, ein Friedrich Nietzsche, ein Karl Marx.

Dennoch hatte die Universität immer ein bißchen etwas von einem preußisch-protestantischen, aber auch französisch-liberalen Fremdkörper in der alten Erzbischofsstadt. Bonn war nie so ganz mit seiner Universität eins, in der Art von Tübingen oder Marburg, von Jena oder Greifswald. Das machte sich nicht weiter störend bemerkbar, solange es nur tausend Studenten gab und hundert Professoren. Die störten auch dann nicht, wenn sie nicht völlig integriert waren.

1944 wurde der Stadtkern, und mit ihm die Universität, durch Bombenangriffe völlig zerstört. Schon einmal war Bonn zerstört worden, 1689 im pfälzischen Erbfolgekrieg. Das Bild von der leicht verträumten, friedlichen Idylle, das wie für so viele deutsche Städtchen auch für Bonn immer einmal wieder beschworen worden ist, stimmte selten ganz und nie auf lange Zeit.

Nach dem Krieg wurde alles wieder aufgebaut, nicht schöner, aber größer als vorher: die Stadt, die Universität und – seit jenem unerforschlichen Ratschluß Konrad Adenauers im Jahre 1949 – der Regierungssitz der Bundesrepublik Deutschland.

Aber nichts ging dabei so recht zusammen. Auf gedrängtem Raum entstanden drei Städte: eine stagnierende rheinische Mittelstadt, eine Jahr für Jahr dichter besiedelte Universitätsstadt und eine aus den Nähten platzende Regierungsstadt. Nach bevorzugten Wohngegenden, Venusberg und Rheinufer, strebten alle drei; aber sonst blieben sie ziemlich säuberlich voneinander getrennt: im Norden die Bürgerhäuser und, deutlich abgesetzt von ihnen, ein Wohngetto für Regierungsbeamte; in der Mitte die Universität; im Süden die Regierungsgebäude, das Bundeshaus, die Ministerien, Botschaften, Gesandtschaften, Luxushotels für prominente Gäste – immer mehr, je deutlicher wird, daß von einer «provisorischen» Bundeshauptstadt keine Rede mehr sein kann, daß das Warten auf Berlin verlorene Liebesmüh ist.

Denn das Schicksal Berlins bleibt, um es vorsichtig auszudrücken, recht ungewiß. Seit 1949, und mit voller Kraft seit 1961, wird versucht, diese Stadt zu teilen, die City auf der einen Seite, das Westend auf der anderen.

Es spricht für die Stärke jener kollektiven Individualität, die vielen deutschen Städten eignet, daß es noch immer und trotz allem möglich ist, Berlin als eine Stadt zu sehen, daß zum Beispiel weder im Osten noch im Westen daran gedacht wird, dem jeweils für sich in Anspruch genommenen Halb-Berlin einen neuen Namen zu geben.

Deutschland ist, wie die Geschichte gelehrt hat, beinahe beliebig teilbar. Zwischen Nord und Süd teilte es sich immer einmal wieder so gut wie von selber. Aber auch zwischen dem Osten und dem Westen ließ sich wirkungsvoll eine Grenze ziehen, wie wir erfahren haben. Zwanzig Jahre genügten dazu, daß die (Ober-)Sachsen den Niedersachsen recht fremd geworden sind – und umgekehrt.

Als viel widerstandsfähiger erwies sich dagegen Berlin – nicht, weil es einmal die Reichshauptstadt war, und nicht, weil die Berliner eine heroische Rasse für sich wären; sondern weil deutsche Städte durchorganisierte, ja organische Gebilde sind: sie leben aus Kraftzentren, die den biologischen Organen vergleichbare Funktionen haben; und sie brauchen «Verkehrsadern», auch das ist in diesem Zusammenhang mehr als eine Metapher.

Es hat daher schließlich, nachdem Deutschland längst geteilt war, noch zwölf Jahre gedauert, bis Berlin durch die Mauer geteilt werden konnte. Und selbst dann ging es nur, indem man sich einigte, die wichtigsten Arterien unversehrt zu lassen: So laufen Westberliner U-Bahnen durch Ostberlin, und die Ostberliner S-Bahnen fahren in Westberlin.

Wie man einen Organismus spaltet, ob längs oder quer, ist wohl ziemlich gleichgültig: es müßte tödlich enden, wenn Städte ganz und gar lebende Organismen wären.

Immerhin wäre es ja möglich gewesen, ein Historiker hätte die Siegermächte überzeugt, Berlin dürfte nicht stur nach den Himmelsrichtungen, aus denen die alliierten Armeen anmarschiert waren, geteilt werden (wie es geteilt worden ist), sondern allenfalls an der alten Nahtstelle: dann läge Tempelhof jetzt im «Osten» – und Pankow läge im «Westen»!

Basteiwände der Sächsischen Schweiz
– Die Bastei ist der eindrucksvollste Teil des Elb-
sandsteingebirges, das auch Sächsische Schweiz
genannt wird, weil die Deutschen sich von jeder
schönen Landschaft (auch in Mecklenburg, auch
in Holstein) an die Schweiz erinnert fühlen. Wer
sich hier in die Wolfsschlucht des *Freischütz* ver-
setzt fühlt, empfindet ganz richtig: Carl Maria von
Webers Librettist Johann Friedrich Kind ließ sich
von den zerklüfteten Sandsteinwänden der Bastei
inspirieren. Dieses Stück unverwertbarer Natur in
unmittelbarer Nachbarschaft von sächsischem In-
dustriefleiß und Dresdener Hochkultur hat eine
eigene – ja: Würde.

Die Rathaustreppe in Görlitz – Gör-
litz lag in Niederschlesien auf beiden Ufern der
Neiße: links (westlich) die Altstadt, rechts ein wenig Industrie und einige Wohnviertel. Als 1945
Ernst gemacht wurde mit der Oder-Neiße-Linie,
verödete Ost-Görlitz, das nun Zgorzelec hieß und
zur Woiwodschaft Wroclaw gehörte. Aber auch
Görlitz, einst geistiger Mittelpunkt der Lausitz,
blüht nicht mehr – was von der Frührenaissance
des Stadtbaumeisters Roßkopf (1480–1549) erhalten geblieben ist, wie der neue Teil des Rathauses
mit der Freitreppe – steht einsam da, beziehungs-
los. Die Stadt hat ihr Hinterland verloren und ihre
Funktionen als Verkehrsknotenpunkt.

Lᴇʜᴅᴇ ʙᴇɪ Lübbenau ɪᴍ Sᴘʀᴇᴇᴡᴀʟᴅ – Wo die Spree, flußabwärts von Cottbus, zwischen einem Netz von Flußarmen viele Inselchen mit einem urwaldähnlichen Baum- und Buschbestand stehen läßt, ist eine der sonderbarsten Landschaften in Deutschland entstanden, eine wendische Enklave, wo noch heute, obwohl die Amtssprache seit langem Deutsch ist, die Alten eine uns unverständliche Sprache reden – halb Getto und halb Eldorado : der Spreewald, Prototyp einer jener «geschlossenen Landschaften», die gar nicht «typisch deutsch» sind und doch so viel beitragen zu dem, was wir Deutschland nennen. Hier Theodor Fontanes Beschreibung dieses Spreewalddorfes: «Es ist die Lagunenstadt in Taschenformat, ein Venedig, wie es vor 1500 Jahren gewesen sein mag.

[...] Man kann nichts Lieblicheres sehen als dieses Lehde, das aus ebenso vielen Inseln besteht, als es Häuser hat. Die Spree bildet die große Dorfstraße, darin schmalere Gassen von links und rechts her einmünden. Wo sonst Heckenzäune sich ziehn, um die Grenzen eines Grundstückes zu markieren, ziehen sich hier vielgestaltige Kanäle [...] Dicht an der Spreestraße steht das Wohnhaus, ziemlich nahe daran die Stallgebäude, während klafterweis aufgeschichtetes Erlenholz als schützender Kreis um das Inselchen herläuft. [...] Endlich zwischen Haus und Ufer breitet sich ein Grasplatz aus, an den sich ein Brückchen oder ein Holzsteg schließt, und um ihn herum gruppieren sich die Kähne, kleiner und größer, immer aber dienstbereit [...]»

Keimzellen für Berlin waren die beiden Spreefischerdörfer Berlin und Kölln; und sie wurden, inzwischen für ihre Zeit ganz ansehnliche Städte, erst 1709 durch Friedrich I. vereinigt. Nach 1871, nachdem Berlin durch Bismarcks Politik die erste deutsche Millionenstadt geworden war, ist die Nahtstelle allerdings völlig zugewachsen.

Berlin wurde durch Bismarck Reichshauptstadt: im Westen wenig geliebt, und im Süden noch weniger, von Kölnern, Hamburgern, Münchnern nur widerwillig zur Kenntnis genommen. Berlin wurde groß durch die Kraftreserven im Osten. Ein Sachse, der es zu etwas bringen wollte, ging nach Berlin. Und jeder zweite Berliner, so hieß es, war in Breslau geboren. Aber Voraussetzung für dieses Großwerden war die liberale Toleranz preußischer Herrschender, vor allem Friedrichs II., die als preußische, als Berliner Bürger alle gelten ließ, die bereit waren, sich an die preußischen Gesetze zu halten: Schlesier, Slawen, Sachsen, Franzosen (Hugenotten) und Juden.

Nun sind da zwei Städte Berlin: Ostberlin kann weiter leben von den Landflüchtigen der Mark Brandenburg, von den verbliebenen Schlesiern und von aufstiegsfreudigen Sachsen; für Westberlin ist nur die Liberalität übriggeblieben, und die ist, wo sie nicht unter dem Patronat eines allmächtigen Herrschers steht, ein schlechter Proselytenmacher.

Wie im kleinen deutschen Rahmen der deutschen Republiken Westberlin auf die Dauer weiterbestehen soll, ist schwer zu sehen. Gewiß läßt es sich als Artefakt mit Subventionsspritzen aus Bonn und gutem Willen aus Moskau und Washington am Leben halten, so wie ein Teilorganismus wohl weiterlebt in geeigneter Nährflüssigkeit oder unter künstlicher Lunge – aber doch nur, solange jemand ein Interesse daran hat, Nährflüssigkeit nachzufüllen oder den Blasebalg zu treten.

Solange der Ausgang dieses grausamen Experiments noch so ungewiß ist, darf als Regel gelten: deutsche Städte sind unteilbar. Ostberlin ist offenbar eine ganz andere Stadt als Westberlin. Aber sobald man in Ostberlin unter die Oberfläche der Kolossalarchitektur und der sozialistischen Parolen gerät, sobald man in Westberlin ein bißchen amerikanischen Lack abkratzt, erscheinen Alexanderplatz und Kurfürstendamm nach wie vor als Teile der gleichen Stadt, als Organe des gleichen Organismus.

Nun wurde da von 1949 bis 1961 mit noch schwer abzusehendem Erfolg nicht irgendeine deutsche Stadt geteilt, sondern die Stadt, die vierundsiebzig Jahre lang, von 1871 bis 1945, die deutsche Hauptstadt gewesen war. Seitdem und deswegen, so ist oft zu hören, könne man auch von einem «geistigen Deutschland» nicht mehr reden.

Ich halte das für ein Gerücht. Es ließe sich das rege deutsche Kulturleben in vergangenen Jahrhunderten ja auch gerade im Gegenteil begreifen als Folge dessen, daß nicht eine Metropole wie London oder Paris alles, was malte, dichtete und sang, an sich zog, so daß die Provinzen kulturell dahinkümmerten wie Birmingham oder Marseille.

Es ließe sich dann argumentieren, daß glücklicherweise Berlin in der kurzen Zeit, die es Hauptstadt sein durfte, nie die Rolle eines deutschen London oder Paris hat spielen können und daß daher der Verlust eines geistigen Deutschland – falls es so etwas je

Potsdam: Der Park von Sanssouci – Chinesisches Teehaus im Park – Schon der Große Kurfürst residierte zuweilen in Potsdam. Zum Inbegriff alles Preußischen wurde die Stadt mit ihren Schlössern jedoch erst durch Friedrich II. Drei Viertel eines preußischen Jahresetats soll der sonst so sparsame König allein in Potsdam verbaut haben. Die Herausforderung Versailles, nach der sich der Rang eines Herrschers in der Architektur ausdrückte, ließ auch ihm keine Ruhe – sowenig wie schon viel früher den römischen Kaisern und später Stalin. Dabei ist das, was wir als «streng preußisch» empfinden mögen an der riesigen Parkanlage mit dem eigentlichen Schloß Sanssouci, der Bildergalerie westlich, den Neuen Kammern östlich des Schlosses (unser Bild) und schließlich dem Neuen Palais auf der anderen Seite, weniger Friedrich II. zuzuschreiben als seinem Baumeister. Der Geschmack des Königs tendierte mehr zu jenem Spätbarock, das man wohl auch als Rokoko bezeichnet. Südliche Heiterkeit, wie er sie als Architektur in Dresden kennengelernt, wollte er in den preußischen Norden bringen. Daß daraus etwas durchaus Originäres wurde, ein durch Klassizismus gefiltertes Barock, ist Georg W. Knobelsdorff (1699–1753) zu danken. Er baute für seinen König neben Sanssouci auch Schloß Charlottenburg (das neue Schloß), das Berliner Opernhaus Unter den Linden und das Schloß in Zerbst. Eine Konzession an den Geschmack des Königs war die Rokoko-Chinoiserie des in Potsdam sonderbar genug sich ausnehmenden Teehauses.

gegeben hat und falls es verlorengegangen ist – mit dem Verlust der Hauptstadt Berlin überhaupt nichts zu tun hat.

Der Meinungskampf zwischen Kultur-Föderalisten und Kultur-Zentralisten läßt sich nicht für die eine oder die andere Partei entscheiden, weil «Kultur», wie wir das Wort heute gebrauchen, kein homogener Begriff ist – weil die Dinge jeweils anders liegen, wenn wir von den Künsten und wenn wir von den Wissenschaften, wenn wir vom Film und wenn wir von der Literatur, wenn wir von der klassischen Philologie und wenn wir von der Atomphysik reden. Produktive Kräfte können durch Schwerpunktbildung gefördert, sie können aber dadurch auch frustriert werden. Das blühende geistige Leben einer Metropole wäre durch provinzielle Verödung des ganzen Landes zu teuer erkauft. Andererseits kann allzu weitgehende Zersplitterung der geistigen Produktivkräfte auch zu Krähwinkelei und sonst gar nichts führen.

Dabei haben sich die Perspektiven gewiß verschoben. Goethe hätte noch zehn bis fünfzehn Postkutschenstunden von Weimar nach Berlin gebraucht und (je nach der Reiseroute) zwei bis vier Grenzkontrollen – heute wäre das mit dem Flugzeug in einer halben Stunde zu schaffen. Kein Berliner hätte, ohne die gleiche mühselige Reise, je sehen können, was das großherzoglich-weimarische Theater zu bieten hatte – heute genügte die Entscheidung eines Fernsehgremiums, ihn das *live* miterleben zu lassen. Aber spricht die Verschiebung nun eigentlich für oder gegen den Kultur-Zentralismus?

Eckermann notierte, Goethe habe gesagt: «Wodurch ist Deutschland groß, als durch eine bewunderungswürdige Volkskultur, die alle Teile des Reiches gleichmäßig durchdrungen hat. Sind es aber nicht die einzelnen Fürstensitze, von denen sie ausgeht und welche ihre Träger und Pfleger sind? [...] denken Sie [...] an Städte wie Dresden, München, Stuttgart, Kassel, Braunschweig, Hannover und ähnliche; [...] denken Sie an die Wirkungen, die von ihnen auf die benachbarten Provinzen ausgehen, und fragen Sie sich, ob alles sein würde, wenn sie nicht seit langer Zeit Sitze von Fürsten gewesen?»

Goethe nennt Weimar nicht mit, aber er meint es natürlich mit, nicht an letzter Stelle. Und in der Tat könnte man sich ja Goethe oder Schiller, Haydn oder Beethoven, aber auch

Dürer oder Riemenschneider nur schwer in Berlin vorstellen. In der Tat gibt es für «Kultur» kaum bessere Voraussetzungen, als wachsen zu können in einer homogenen Landschaft mit ausreichender ökonomischer Basis, wenn dabei – und diese zweite Voraussetzung hat sich im Laufe der deutschen Kulturgeschichte als eminent wichtig erwiesen – für den kreativ Tätigen jederzeit die Möglichkeit besteht, erstickenden politischen oder persönlichen Verhältnissen zu entfliehen in ein Nachbarland, das gar nicht weit ist und die gleiche Sprache spricht.

Das «geistige Deutschland» lebte lange Zeit vor allem davon, daß es ein politisches Deutschland und eine Hauptstadt nicht gab. Wo es seine eigenen Identitäten entwickelte, da sind sie viel schwerer zu greifen und nachzuweisen als politische Einheiten.

Nachweisbar und leicht identifizierbar sei aber doch «deutsche Musik» – sagt man – von Bach und Händel über Haydn wohl zu Mozart und Beethoven, von da vielleicht zu Weber und Wagner und Anton von Webern.

Beobachter vom Rang immerhin eines Friedrich Nietzsche oder eines Thomas Mann haben das auch festgestellt. Die Gefahr der Deutschen (so Nietzsche) «liegt in allem, was die Verstandeskräfte bindet und die Affekte entfesselt (wie zum Beispiel der übermäßige Gebrauch der Musik und der geistigen Getränke)». «Abstrakt und mystisch, das heißt musikalisch» sei (so Thomas Mann) «das Verhältnis der Deutschen zur Welt».

Wer das heute so liest, während ihm die Kinder Rock und Pop meist englisch-amerikanischer Provenienz in die Ohren dröhnen, wird sogar einem so scheinbar durchgehenden Wesenszug deutschen Charakters gegenüber skeptisch, und er fragt sich, inwieweit er und seine westdeutschen Landsleute denn wirklich und auch heute noch partizipieren an den in aller Welt als deutsch geltenden Komponisten: dem in Eisenach (DDR) geborenen Thomaskantor von Leipzig (DDR); dem Geiger aus Halle (DDR), der es als Hofkomponist in London zu Ehren brachte; den beiden Österreichern, von denen der eine wieder in London, der andere in Prag erst richtig entdeckt wurde; dem zufällig in Bonn geborenen Holländer, der dann nach Wien zog; dem von Eutin über Salzburg und Wien und Prag Getriebenen und schließlich in Dresden Arrivierten; dem Sachsen, der freilich in Bayern sein Glück machte (und dessen

Musik alljährlich in Bayreuth Amerikaner offenbar beinahe so begeistert wie Deutsche); dem Begründer der Wiener Schule schließlich, die eben eine Wiener Schule war und keine deutsche.

Danach scheint es doch so, daß ein Westdeutscher, ein Bürger der Bundesrepublik, der sein Selbstbewußtsein musikalisch aufrüsten möchte, um einige Identifikationsschwierigkeiten nicht herumkommt.

Ist ein solcher Versuch, dem Abstrakten («deutsche Musik») konkrete Nachprüfbarkeit abzugewinnen (wo kommen die deutschen Komponisten her und wo sind sie groß geworden?), unstatthaft? Wohl kaum, wenn man ihm nicht zuviel an Beweislast aufbürdet. Es soll ein besonderes Verhältnis der Deutschen zur Musik ja nicht geleugnet, es soll nur die Nachweisbarkeit einer solchen *idée reçue* ein wenig in Frage gestellt werden.

Aber vielleicht sollte man sich dabei nicht so sehr an den Komponisten, vielleicht sollte man sich eher an den Orchestern orientieren. In der Tat gibt es in den deutschen Republiken nicht nur mehr Theater und mehr Opernhäuser, sondern vorläufig auch noch mehr Symphonie-Orchester als in irgendeinem anderen Land der Welt.

Aber ist das ein Ausdruck «deutscher Musikalität», oder ist es nicht vielleicht doch schlicht eine Folge jener vielen kleinen deutschen Staaten, in denen eben jeder Fürst und jeder

An der Havel — «Havel» bedeutet etwa soviel wie Seen-Fluß, der Name kommt vom altnordischen «haf»: See – dieser Seen-Fluß, 371 Kilometer lang und der bedeutendste rechte Nebenfluß der Elbe, entspringt im Dambecker See, der zur mecklenburgischen Seenplatte gehört. In seinem Oberlauf freilich gibt er sich ganz noch wie ein Fluß, wie ein Flüßchen, das sich zuweilen auch teilt und dann Inseln entstehen läßt. So eine Insel ist Oranienburg. Weiter flußabwärts folgen dann all die Namen, die einen an brandenburgisch-preußische Geschichte oder – das lief oft auf das gleiche hinaus – an Berliner Ausflugsziele erinnern: Tegel – Pfaueninsel – Wannsee – Nikolskoe – Ütz – Paretz – Werder – Schwielow – Kaputh – Brandenburg – Havelberg. Meist wurden in der Mark Brandenburg, an ihren historischen Stätten, Jagden geritten, Truppen geübt, Schlachten geschla-gen. Das Schlößchen von Tegel ist die große Ausnahme; dort lebten und starben die Brüder Humboldt, die bedeutendsten Gelehrten, die Preußen hervorgebracht hat: Alexander, der Weltreisende, und Wilhelm, der Reformator der deutschen Universität. Der französische Romancier Stendhal befand in seinen *Tagebüchern*: «Die Umgebung von Berlin ist ein Sandmeer. Man muß den Teufel im Leib gehabt haben, als man hierher eine Stadt baute.» In der Tat hat die Mark Brandenburg überwiegend Sandboden, auf dem die Kiefer gedeiht und die anspruchslose Kartoffel; aber der Weizen blüht dort niemandem. Nur: Sie hat eben auch die Havel, diesen Fluß, der in seinem Mittellauf, Berlin umschließend, nur aus Seen besteht. Und das Havelland ist immerhin altes Kulturland – für ostelbische Verhältnisse: fast tausend Jahre alt. Die Natur ist dort stärker. Noch heute.

Erzbischof seine eigene Musik machen wollte? Das große Theater- und Orchestersterben hat schon eingesetzt, und es wird weitergehen. Unter den fünf besten Orchestern der Welt ist allenfalls ein deutsches (die Berliner Philharmoniker). Unter den fünf besten Dirigenten der Welt sind zwei Österreicher, ein Franzose, ein Amerikaner, vielleicht ein Ungar, vielleicht ein Engländer – kein Deutscher. Die großen Sänger an den deutschen Opernhäusern kommen vor allem aus Amerika und England, auch aus Skandinavien und Spanien, aus Ungarn und aus der Sowjetunion – Deutsche gibt es nur wenige in der ersten Garnitur.

Es ist vermutlich trotz allem etwas dran an dieser «deutschen Musikalität»; aber es ist schwer zu greifen und nur dann «irgendwie» nachzuempfinden, wenn man einen Begriff des «Deutschen» zugrunde legt, der das Land Mozarts und Karajans einbezieht.

Nach so viel Verunsicherung tut es gut, einmal wieder die Rede Grillparzers zum Tode Beethovens nachzulesen: «Indem wir hier an dem Grabe des Verblichenen stehen, sind wir gleichsam die Repräsentanten einer ganzen Nation, des deutschen gesamten Volkes, trauernd über den Fall der einen, hochgefeierten Hälfte dessen, was uns übrigblieb von dem dahingeschwundenen Glanz heimischer Kunst, vaterländischer Geistesblüte. Noch lebt zwar – und möge er lange leben! – der Held des Sanges in deutscher Sprach' und Zunge; aber der letzte Meister des tönenden Liedes, der Tonkunst holder Mund, der Erbe und Erweiterer von Händel und Bachs, von Haydn und Mozarts unsterblichem Ruhme hat ausgelebt, und wir stehen weinend an den zerrissenen Saiten des verklungenen Spiels.»

BERLIN: SCHLOSS CHARLOTTENBURG – In einem Berliner Erfolgsroman des Jahres 1885 können wir lesen: «Wie lange wird es dauern, bis der Kurfürstendamm ganz bebaut ist? Dann erstreckt sich Berlin bis an den Grunewald, der Zoologische Garten liegt mitten in der Stadt [...]» Julius Stinde, der Verfasser des Romans *(Familie Buchholz)*, hätte keine fünfzig Jahre mehr zu warten brauchen: 1920 machte «Großberlin» den Schritt zur Viermillionenstadt, indem 8 Städte, 59 Dörfer und 27 Gutsbezirke zusammengelegt wurden. Damals erst wurde auch das Charlottenburger Schloß eingemeindet, das weit vor den Toren der Stadt stand, als es im Auftrag des Großen Kurfürsten – dessen Reiterstandbild davor steht – in den letzten Jahren des 17. Jahrhunderts erbaut wurde. So ist den Berlinern wenigstens eine der Residenzen ihrer Kurfürsten, Könige und Kaiser (ursprünglich nur ein Sommersitz für die Kurfürstin Sophie Charlotte – daher «Charlottenburg») erhalten geblieben: die zweite, das Berliner Schloß, wurde im Krieg zerstört und dann gesprengt; die dritte und Hauptresidenz der Hohenzollern, Potsdam, war 1920 herausgeblieben aus der Stadt Berlin.

Berlin mit Kaiser-Wilhelm-Gedächtniskirche – Das Schönste an Berlins kostspieligster Kirche ist ihre Lage am Ende des Kurfürstendamms, des Prunk-, Flanier- und Kaffeehaus-Boulevards, der als solcher mit noch mehr Recht berühmt ist als Düsseldorfs Kö(nigsallee), Hamburgs Jungfernstieg oder Münchens Leopoldstraße. Er ist der Fifth Avenue und dem Broadway verglichen worden, mit denen er kaum Ähnlichkeiten hat. Am ehesten vergleichbar ist er dem Pariser Boulevard St-Michel. Die fast vier Kilometer lange Straße soll ursprünglich ein Damm gewesen sein, den der brandenburgische Kurfürst Joachim II. im 16. Jahrhundert bauen ließ, um trockenen Hufes zum Grunewald zu kommen. Wirklich ausgebaut zur repräsentativen Prachtstraße der Hauptstadt des Zweiten Deutschen Kaiserreiches wurde dieser Reitweg jedoch erst Ende des 19. Jahrhunderts. Die Kaiser-Wilhelm-Gedächtniskirche ist etwa ebenso alt wie der Kurfürstendamm, 1891 bis 1895 nicht etwa zum Gedächtnis Kaiser Wilhelms, sondern von Kaiser Wilhelm zum Gedächtnis seines Großvaters gebaut. Das Zweitschönste ist die Berliner Sentimentalität, die, auf den «Kudamm» gerichtet, diese Kirche mit einbezogen hat: eine aktive Sentimentalität, die es zu verhindern wußte, daß die Ruinen eines nicht sonderlich eindrucksvollen Zeugnisses für Berliner Gründerzeit-Barock – das freilich gut zu den Fassaden des Kurfürstendammes paßte – gesprengt und weggeräumt wurden. Statt dessen erging der Auftrag, die Turm-Ruine in einen neuen Kirchenbau einzubeziehen. Der Architekt Egon Eiermann hat die unlösbare Aufgabe 1961 immerhin als Drittschönstes bewältigt: die Ruine wird eingefaßt von einem gedrungenen Oktogon aus Glasbeton und einem sechseckigen Turm. Zum Gedächtnis: weniger Kaiser Wilhelms und seines «Zweiten Reiches», sondern des «Dritten Reiches» und seines furchtbaren Endes hier in Berlin. Es war wohl richtig, diesen einen Trumm aus den Bergen der Trümmer stehenzulassen. Das architektonische Chaos ist inzwischen wieder geordnet. Man muß vom Kurfürstendamm noch ein gutes Stück weitergehen, um ein zweites Mal von einem Bauwerk an das Ende des «Dritten Reiches» erinnert zu werden: am Europa Center vorbei, die Budapester Straße und die Tiergartenstraße entlang – dann kommt man zum Potsdamer Platz und stößt dort auf die Mauer.

Fremd und verstaubt wie die Diktion, auch ein bißchen verlogen, mutet einen heute dieser bei aller Wehmut optimistische Nachklang der Weimarer Klassik an – die, zum Beispiel, eben gerade keinerlei Beziehungen gefunden hatte zur Musik Mozarts.

Aber Goethe hatte Beethoven bewundert, und Beethoven hatte Schillers Freuden-Lied vertont. Ein Geflecht von Verbindungen großer Geister gab es im 18. und vor allem im 19. Jahrhundert zweifellos. Ist es stark genug als Basis für den Überbau-Begriff «geistiges Deutschland»? Und wieviel bedeutet es heute noch?

Etwas spezifisch Deutsches aus der Bildenden Kunst der Deutschen herauszulesen, will mir nicht gelingen. Albrecht Dürer, Matthias Grünewald und Tilman Riemenschneider wurde und wird just dieses von klugen, sachverständigen Interpreten nachgesagt. Bei jedem dieser drei ist der Zusammenhang zu sehen, das leuchtet ein, mit einer Kultur der Städte, wie es sie außerhalb Deutschlands so nicht gegeben hat: diese ungeheuer gewissenhafte, solide, gewerbefleißige Arbeit, undenkbar ohne ein sie tragendes (auch ökonomisch tragendes) Gemeinwesen, ohne einen festen Kreis von hilfswilligen Mitarbeitern und bewundernden Abnehmern; dieses nur ganz leicht, aber immerhin leicht gebrochene Verhältnis zum Numinosen, das die Darstellung des Göttlichen inspirierte, ohne die Einschmuggelung von ganz Privatem strikt zu verbieten: Bürgerstolz vor Gottes geglaubter Herrlichkeit.

Aber dann, aber danach, wo offenbart sich später noch spezifisch Deutsches in der deutschen Kunst?

Caspar David Friedrich fällt einem ein. Vielleicht liegt in diesen zergrübelten, sehnsuchtsvoll romantischen Landschaften wirklich viel Deutsches – vor allem im Sujet, denn Friedrich malte ja deutsche Landschaften, und was da Gegenstand ist und was da Geist, das ist so leicht nicht zu unterscheiden.

Aber Caspar David Friedrich war ein Einzelgänger. Als so «typisch deutsch» wie vorher nichts in der Bildenden Kunst erschien der Welt die Malerei des deutschen Expressionismus mit ihren formenzerfetzenden Übersteigerungen und ihrem aggressiven Humanitätspathos. Mag sein. In Deutschland selber wurde diese Kunst nach wenigen Jahren als «entartet» verboten und verbrannt, und das hat nicht nur Hitler zu verantworten. Daß die

DAS BRANDENBURGER TOR – Die Mauer durch Berlin ist etwa 30 Kilometer lang, und das Brandenburger Tor liegt ziemlich genau in der Mitte. Es wurde 1788 bis 1791 nach dem Vorbild der Propyläen erbaut von Carl G. Langhans, einem jener klassizistischen Architekten, die das repräsentative Bild der preußischen Hauptstadt geprägt haben. Sie waren besser als die Nachfolger, die Baumeister der Reichshauptstadt mit ihrem anspruchsvollen und inhaltsarmen Gründer-Barock. Schadows bronzene Quadriga auf dem Tor nennen die Berliner schlicht «Kutsche», auch «Retourkutsche», weil sie schon zweimal abmontiert und zweimal wieder zurückgekommen ist. Das Brandenburger Tor führt seit langem nicht mehr nach Brandenburg, und seit dem 13. August 1961 ist es auch kein Tor mehr. Jean Paul hat einmal geschrie- ben: «Berlin ist mehr ein Weltteil als eine Stadt.» Man muß das damals für eine Übertreibung gehalten haben. Heute ist Berlin mehr zwei Weltteile als zwei Städte. Wer den richtigen Paß hat und damit zwar nicht durch das Brandenburger Tor, aber doch auf anderen, vorgeschriebenen Wegen von Ost nach West und/oder umgekehrt sich bewegen darf, könnte beobachten: Berlin ist nach wie vor eine Stadt mit einem freudlosen politischen Bauwerk in der Mitte, quer durch. Vielleicht müßte man ihn dann naiv nennen. Aber daß hier – hier so kraß wie sonst nirgendwo – zwei Welten aufeinanderstoßen, aufeinanderstoßen in «dieser durchgerissenen Stadt» (Wolf Biermann), das wird, nach nur wenigen Stunden Aufenthalt auf beiden Seiten der Mauer, auch dem Naivsten klar.

Sᴛʀᴀᴜsʙᴇʀɢᴇʀ Pʟᴀᴛᴢ ᴍɪᴛ Kᴀʀʟ-Mᴀʀx-Aʟʟᴇᴇ — So einfach ist es nun wieder nicht, wie manche es sich machen wollen – und nur können, weil sie noch nie da waren: im Osten kommunistisch ärmlich, im Westen kapitalistisch glitzernd. Nichts ist, zum Beispiel, ärmlich an jener Allee, die ihren Namen so oft ändern mußte und bald nach Frankfurt, bald nach Stalin, schließlich nach Karl Marx benannt wurde. Da traf es sich glücklich, daß die Berliner ohnehin immer nur «die Allee» sagen. Viel bruchloser als in Westberlin wurde hier der Anschluß hergestellt an Berliner Klassizismus und wilhelminisches Gründer-Barock. Überhaupt findet man ja das alte Berlin am leichtesten im heutigen Ostberlin wieder. Das versteht sich; denn was vor 1920 Berlin war, ist heute eben

Ostberlin. In Ostberlin liegen: das Rathaus, das schon «das Rote» hieß, als dieser Farbe noch keinerlei politische Bedeutung unterlegt werden konnte; die Staatsoper, 1741 bis 1743 von Knobelsdorff gebaut; der Dom, der Deutsche Dom und der Französische Dom; die – abgesehen von der Dorfkirche Marienfelde – ältesten und schönsten Berliner Kirchen: die Nikolaikirche, die Heiliggeistkapelle, die Reste der Parochialkirche, die Sophienkirche und viele andere. Von ganz wenigen Ausnahmen abgesehen – den Schlössern in Charlottenburg, in Tegel und auf der Pfaueninsel, der Kirche und der Zitadelle in Spandau –, liegen alle Gebäude, an denen Berliner Geschichte sich ablesen läßt, in Ostberlin, der Hauptstadt der DDR.

MÄRKISCHES VIERTEL IN WESTBERLIN – Westberlin hatte es viel schwerer als Ostberlin, eine Art eigene Identität zu entwickeln. Am schwersten dadurch, daß es niemandes Hauptstadt, sondern nur für sich selber da ist. Bezeichnend, daß es im Rathaus des zuvor kaum hervorgetretenen Stadtbezirks Schöneberg regiert wird. Und erschwerend kommt hinzu, daß Chichi und Westend-Tandaradei in Westberlin zwischen Halensee und Augsburger Straße schon zu Hause waren, noch ehe es ein Westberlin gab. Und auch: daß die Amerikaner, da niemand sich recht verantwortlich fühlen wollte, es waren, die rührend tätig wurden. Aber diesem Abschreibungs-Manhattan fehlen Long Island und der Staat New York als Hinterland. Einer der möglichen Auswege: Flucht nach vorn in die Zukunft. Die Architekten haben ihn gesucht. In keiner anderen deutschen Stadt wurde an architektonisch Modernem, Ausgefallenem, Kontroversem so viel riskiert wie in Westberlin. Daß daneben die Ruine des Reichstages wiederhergestellt wurde mit einer Treue, die eines besseren Anlasses wert gewesen wäre, war offenbar als historisierendes Gegengewicht gegen so viel künstlerische Zukunftsperspektiven nicht zu umgehen. Für die Internationale Bauausstellung 1957 wurde, von Architekten aus dreizehn Ländern, das Hansa-Viertel errichtet mit der alten Kaiser-Friedrich-Gedächtniskirche, einer neuen St.-Ansgar-Kirche und der Akademie der Künste. Gleichzeitig baute der Amerikaner Stubbins am Spreeufer die Kongreßhalle, deren Dach dann leider einstürzte. Es folgten: Eiermanns Gedächtniskirche, Scharouns Philharmonie und Staatsbibliothek, die Nationalgalerie nach Plänen von Mies van der Rohe, die «Gropius-Stadt» und das Märkische Viertel – geschickt photographiert, verspricht diese Super-Wohnbunker-Kolonie mit ihren schattigen Schluchten für 60000 Menschen mehr, als die Bewohner davon halten. Aber wie macht man das: «Stadt» zu schaffen aus dem reinen Denken und fürs Ungewisse?

Banausen diese Kunst «undeutsch» nannten, bedeutet noch nicht, daß die Deutschen sich damit identifizieren wollten oder konnten. Auch die Amerikaner nennen das, was ihnen nicht gefällt, gerne «unamerikanisch».

Schreckt die Bildende Kunst von Identifikationsversuchen eher ab dadurch, daß Beziehungen zwischen einem Bild und einem nationalen Bewußtsein recht mühsam hergestellt werden müssen und immer in ausdeutbarer Schwebe bleiben, so lädt die Sprache, vor allem die Sprache der Literatur, allzu verlockend dazu ein, sie beim Wort zu nehmen, beim Worte «deutsch». Und unleugbar gibt es ja zumindest seit der Romantik, seit Herder, Humboldt, den Brüdern Schlegel und den Brüdern Grimm, ein mehr und mehr in Allgemeinbesitz übergehendes Bewußtsein von einer Einheit deutscher Sprache und Literatur.

«Das Evangelium vom Wort, das am Anfang aller Dinge war», schrieb der bedeutende Romanist Karl Voßler, «bekam einen klaren gegenständlichen Sinn, nämlich dahin, daß erst in der Sprache die Welt ihre geistige Gestalt annimmt, daß sie erst in der Sprache ein Gesicht bekommt. Damit wurde weiterhin klar, wie jedes Volk in seiner Sprache sich seine Welt gestaltet [...]» Aber damit wird eben auch gleich unklar, wieso die Menschen in der Schweiz, in Österreich, in der DDR und in der Bundesrepublik sich mit Hilfe der gleichen Sprache so verschiedene Welten gestalten konnten.

Die bewußtseinsbildende Kraft der Sprache kann nicht geleugnet werden. Es wirkt noch immer etwas pedantisch, wenn jemand darauf insistiert, Gottfried Keller sei ein Schweizer Romancier und Rainer Maria Rilke ein österreichischer Lyriker gewesen. Was im östlicheren Deutschland geschrieben wird, findet in der Bundesrepublik ein interessiertes Publikum, und wenn das Buch eines westdeutschen Autors in der DDR erscheint, so ist es in kürzester Zeit vergriffen. Die Aktivitäten vieler österreichischer und Schweizer Verlage wären undenkbar ohne den deutschen Markt.

Auf die Frage, warum dann aber – bei der oft besungenen Allgewalt der Sprache – das sprachliche Identitätsbewußtsein offenbar nicht ausreicht, ein gesellschaftliches Identitätsbewußtsein an sich zu binden, läßt sich wohl nur mit Brecht antworten: die Verhältnisse, die sind nicht so.

Es wäre ja denkbar, und es erscheint heute vielen als wahrscheinlich, daß diese ganze Vorstellung eines «Geistigen», das bis zu einem gewissen Grade unabhängig wäre von Politischem und Gesellschaftlichem, historisch bedingt war und heute nicht mehr taugt. Sie gründete sich auf eine Tendenz, künstlerische Werte absolut zu setzen, deren Anfänge dem Kulturhistoriker noch deutlich genug erkennbar sind. Was einmal anfängt, hat wohl auch einmal ein Ende.

Eine Sonderstellung dauerhafterer Art nimmt in dieser Welt des Geistigen noch immer die Sprache ein. Wie lange noch?

Ins westdeutsche Wirtschaftsleben sind viele Türken, Spanier oder Jugoslawen als Gastarbeiter enger einbezogen als Leipziger, Berner oder Klagenfurter. Es gibt also ökonomische Bewußtseinsbildungen, die außerhalb des Sprachlichen liegen.

Ins ostdeutsche politische Leben sind viele Russen, Polen oder Tschechen als Kommunisten enger einbezogen als Westdeutsche. Es gibt auch ideologische Bewußtseinsbildungen, die von der Sprache kaum berührt werden.

«Deutschland auf der Suche nach sich selber» bedeutet für unsere Zeit gewiß nicht mehr, daß die beiden deutschen Republiken eine gemeinsame Identität suchten. Es bedeutet: zwei deutsche Staaten suchen jeder eine eigene Identität, ohne dabei den gewissermaßen gesamtdeutschen Beitrag aus der Zeit vor 1933 ganz entbehren zu können. Die Jahre 1933 bis 1945 seiner Geschichte zuzuschlagen, überläßt jeder der beiden deutschen Staaten gerne dem anderen. Der selbstsicheren Art, wie die DDR dieses unselige Erbe teils durch Verleugnen, teils durch radikale Neuorientierung abgeworfen hat, kann man Bewunderung nicht versagen. Und ebenso eindrucksvoll ist es, wie von der Regierung in Ostberlin große Gestalten der deutschen Vergangenheit gleichsam naturalisiert werden: selbstverständlich die Rheinländer Heinrich Heine und Karl Marx, mühelos der Schwabe Schiller und der Frankfurter Goethe; aber auch Dürer und sogar Luther werden eingepaßt in das Bild des «ersten deutschen Arbeiter- und Bauernstaates», wie er sich selber sehen möchte.

Das ist gewiß eine von Partei-Ideologen am Reißbrett konstruierte Identität und keine spontane Selbstidentifizierung der Gesellschaft in der Deutschen Demokratischen

Republik. Aber ein erhebliches intellektuelles Potential, viel guter Wille und die ganze Macht eines autoritär geführten Staates werden aufgeboten, um die Lücke zwischen dem amtlich verordneten DDR-Bild und dem Bild der DDR von sich selber zu schließen – nicht ohne Erfolg.

Ganz anders sieht es aus in der Bundesrepublik Deutschland. Ein mit schwachen Mehrheiten parlamentarisch regierter Staat kann eine nationale Identität, die er nicht ererbt hat, auch nicht auf dem Verordnungswege herstellen. Er kann nicht viel dagegen tun, daß Heine ein unbekannter Dichter bleibt, um so weniger, als das gleiche ja immer mehr auch von Schiller und Goethe gilt. Die Regierung der Bundesrepublik hat keine Möglichkeit, steuernd einzugreifen, wenn Karl Marx von der einen Seite zum Bürgerschreck verzerrt und von der anderen in Dienst genommen wird, um diese ganze Bundesrepublik in Frage zu stellen. Was soll der radikalen Linken die Frage nach nationaler Identität? Es gibt keine Nationen mehr für sie, es gibt nur noch Klassen. Solche theoretischen Überzeugungen werden offenbar wenig davon berührt, daß sowohl die Sowjets wie die Chinesen ganz anderer Ansicht sind.

«Von den drei nach-christlichen Ideologien, Individualismus, Kommunismus und Nationalismus», schreibt der englische Kulturphilosoph Arnold Toynbee in seinem Buch *Change and Habit* (1966), «hat der Nationalismus sich als die mächtigste erwiesen.»

Jede Analyse der Welt, wie sie sich uns heute darstellt, gibt Toynbee recht. Müßten die Deutschen also, um in dieser Welt mitsprechen zu können, noch einmal einen eigenen Nationalismus-Deutsch-Ost und einen eigenen Nationalismus-Deutsch-West entwickeln?

Selbst wenn das möglich wäre – wer einmal Zeuge eines Fußball-Länderspieles war, neigt vermutlich dazu, es für durchaus möglich zu halten –, wäre es nicht empfehlenswert.

Eine Geschichte der Deutschen gibt es seit zweitausend Jahren. Unser Vorstellungsvermögen reicht nicht aus, auch nur andeutungsweise zu sehen, wie die Welt in noch einmal zweitausend Jahren sich darstellen wird. Aber so viel kann man wohl voraussagen: Wenn es dann noch Menschen gibt, wird es einzelne geben, die sich ihrer persönlichen Identität bewußt zu werden versuchen; und es wird Gruppen geben, die ein Kollektivbewußtsein

DIE PHILHARMONIE IN BERLIN – Ein gelungener und ein zukunftsweisender Bau in Berlin ist die Philharmonie, 1960 bis 1963 erbaut von Hans Scharoun. Der äußere Eindruck ist verwirrend und findet Rechtfertigung erst im Inneren. Was immer Musik war und noch sein kann, wie immer «Musikproduzenten» und «Musikkonsumenten» sich zueinander verhalten mögen – es fällt schwer, sich etwas musikalisch Mögliches vorzustellen, das in diesem raffinierten Vieleck- und Mehrzweckgehäuse nicht realisierbar wäre. Die Klassik der Musikfreunde älteren Stils, Aleatorisches und Elektronisches der Avantgarde, Pop für die jüngere Generation: dies

alles – und wohl anderes, noch gar nicht Konzipiertes – findet hier einen idealen Ort. Es könnte seinerseits diesen Ort zu einer Keimzelle machen. Die Sprache der Musik – sie wird im Osten wie im Westen verstanden. Vor allem aber ist es die Sprache, in der Deutsches sich der Welt immer am ehesten verständlich und liebenswert mitgeteilt hat. Freilich können die «Freunde der Harmonie», denen Scharouns Bauwerk seinen Namen entlehnt, in Berlin nicht den Ton angeben; aber sie könnten anklingen lassen, wie Berlin, wie jenes zwischen Ost und West so schwer definierbare Deutschland andere Nationen ansprechen sollte, will es sicher sein, gehört zu werden.

entwickeln. Letzte Bezugsgröße unterhalb einer utopisch gedachten «Menschheit» wird dann wohl kaum mehr die heute noch allmächtige «Nation» sein, sondern – da durch technische Progression die Distanzen kleiner werden – eine größere Einheit.

Es liegt nahe anzunehmen, daß in dem Teil der Welt, in dem wir leben, die nächste und vorerst größte identifizierbare gesellschaftliche Einheit sich in vielem mit dem decken wird, was wir «Europa» nennen. Die besten Geister dieser Welt denken seit langem schon «europäisch» – und ob solches Denken Amerika oder auch die Sowjetunion einbezieht, ist eine Frage zweiten Ranges schon deswegen, weil keiner sie beantworten kann.

Deutschland jedoch hätte durch seine Nicht-Existenz als Nation eine Chance, dieses Stadium, das es nicht erreichen konnte, zu überspringen und sich anzubieten als Integrationsfaktor für eine neue, eine größere Gesellschaft. Nicht, daß es seine alten, ererbten und erworbenen Identitäten aufgeben sollte, denn das hieße Rückfall ins Chaos. Es sollte Städte, Landschaften, Länder, wohl auch «die deutsche Musik», «die deutsche Kunst», «die deutsche Literatur» pflegen, um sie eines Tages einbringen zu können in eine neue Identität. Niemand in Europa hat es heute so leicht, wie die Deutschen es haben könnten, Europäer zu sein.

Bildverzeichnis

Bildnachweis

Aachen, Presse- und Informationsamt: Umschlag vorn (Gerd Gering)
Baden-Baden, Kurdirektion: 68
Erich Baumann, Ludwigsburg: 29
Bavaria, Gauting: 44 (Puck-Kornetzki)
Albrecht Brugger, Stuttgart: 69 (Regierungspräsidium Nordwürttemberg 2/28010C)
C. J. Bucher AG, Luzern: 115
Cedri, Paris: 26, 27 (Jean Candelier)
Central Color, München: 99
Peter Cornelius, Kiel: 146
Deutsche Luftbild KG, Hamburg: 14/15 (Luftamt Hamburg 1075/67)
L. Dukas, Zürich: 59 (Erich Lessing, MAGNUM)
Manfred Grohe, Kirchentellinsfurt: 73 (Regierungspräsidium Südwürttemberg-Hohenzollern 42/991)
Hans Hartz, Hamburg: 19
Robert Häusser, Mannheim: 75
Heinz Held, Köln: 107 (aus MERIAN-Heft «Deutschland»)
Dr. W. G. Heyde, Leipzig: 128
Hans Huber KG, Garmisch-Partenkirchen: 2, 16, 45 (2), 96, 98
Joachim Kinkelin, Frankfurt: 62/63, 101 (Heinz Herfort); 88 (Peter Klaes); 112/113, 116, 119, 120, 121, 125, 126, 136/137, 142 (Wolfgang Krammisch); 76, 80, 82 (Toni Schneiders); 134 (Fred Wirz); 60, 89, 90 (Otto Ziegler)
Gerhard Klammet, Ohlstadt bei Garmisch: 12, 36, 51, 53, 66, 92/93
Klammet & Aberl, Ohlstadt bei Garmisch: 24 (Regierungspräsidium Oberbayern G43/643), 33 (G43/1032), 41 (G43/408), 71 (G43/348), 74 (G43/755)

Lutz Kleinhans, Frankfurt: 55
Wolfgang Krammisch, Dresden: 124
Laenderpress, Düsseldorf: 38/39, 42/43 (Peter Klaes)
Landshut, Verkehrsverein: 86
Siegfried Lauterwasser, Überlingen: 100
Franz Lazi, Stuttgart: 78, 79, 150/151
Werner Lengemann, Kassel: 49
Photo-Löbl, Bad Tölz: 25, 46, 85, 91
Werner Neumeister, München: 95
Fritz Prenzel, Gröbenzell: 21 (Bartcky); 58 (Walter Ludwigs)
Presse Informations Agentur GmbH, Baden-Baden: 129 (Thal); 114 (Dieter Woog)
Ludwig Richter, Mainz: 108
Toni Schneiders, Lindau: 102/103
Karlheinz Schuster, Frankfurt: 22 (Poguntke); 57 (Volk); 8 (Weisser)
Anno Wilms, Berlin: 155
Ludwig Windstosser, Stuttgart: 153, 159
Fred Wirz, Luzern: 118, 122, 130, 131/132, 139, 140, 143, 154
Carl Zeiss, Oberkochen: 65 (Regierungspräsidium Nordwürttemberg 031/00441)
Zentrale Farbbild Agentur GmbH, Düsseldorf: 17 (H. Gradl); 11 (R. Holder); 34, 35 links (M. Idem); 30/31 (J. Pfaff); 52 (G. Seider); 149 (R. Waldkirch)
Thomas Zimmermann, Köln: 35 rechts